D0928539

TRAVAILLER DEVANT UN ÉCRAN

Données de catalogage avant publication (Canada)

Feeley, Helen

Travailler devant un écran : soin des yeux, éclairage, posture

Traduction de : The VDT operator's problem solver

2-7619-0536-9

1. Terminaux à écran de visualisation - Aspect physiologique. 2. Terminaux à écran de visualisation - Aspect hygiénique. I. Titre.

RC965.V53F4314 1985 363.1'89 C85-094096-6

(Édition originale: *The VDT Operator's Problem Solver*
The Planetary Association for Clean Energy, Incorporated
ISBN: 0-919969-04-6)

© 1984, The Planetary Association for Clean Energy, Incorporated

© 1985 LES ÉDITIONS DE L'HOMME
DIVISION DE SOGIDES LTÉE

Tous droits réservés pour la traduction française

Bibliothèque nationale du Québec
Dépôt légal — 3e trimestre 1985

ISBN 2-7619-0536-9

Dr Helen Feeley

TRAVAILLER DEVANT UN ÉCRAN

SOIN DES YEUX · ÉCLAIRAGE POSTURE

Traduit de l'anglais par Marie-Luce Constant

*LES ÉDITIONS DE L'HOMME**

CANADA: 955, rue Amherst, Montréal H2L 3K4

*Division de Sogides Ltée

Couverture

- Maquette:
  GAÉTAN FORCILLO
- Illustration:
  ANNIK LAFRENIÈRE

Maquette intérieure

- Conception graphique:
  JEAN-GUY FOURNIER

Équipe de révision

Daniel Ariey-Jouglard, Jean Bernier, Michelle Corbeil, René Dionne, Louis Forest, Monique Herbeuval, Hervé Juste, Jean-Pierre Leroux, Odette Lord, Linda Nantel, Paule Noyart, Normand Paiement, Jacqueline Vandycke

DISTRIBUTEURS EXCLUSIFS:

- Pour le Canada:
  AGENCE DE DISTRIBUTION POPULAIRE INC.*
  955, rue Amherst, Montréal H2L 3K4 (tél.: 514-523-1182)
  *Filiale de Sogides Ltée
- Pour la France et l'Afrique:
  INTER-FORUM
  13, rue de la Glacière, 75013 Paris (tél.: 570-1180)
- Pour la Belgique et autres pays:
  S. A. VANDER
  Avenue des Volontaires, 321, 1150 Bruxelles (tél.: (32-2) 762.98.04)

Introduction

On s'est beaucoup interrogé sur les dangers que pouvaient présenter les terminaux à écran de visualisation (T.E.V.) pour la santé des personnes dont ils sont l'outil de travail quotidien. Le Dr Helen Feeley, optométriste d'Ottawa, a rencontré des patients qui souffraient de troubles causés par les T.E.V. et s'est efforcée de rechercher des solutions. Elle a cerné les nombreux domaines dans lesquels les problèmes semblaient surgir, en entreprenant des recherches théoriques et en assistant à des rencontres scientifiques. Elle a donné des conférences sur les troubles de la vue et a écrit plusieurs traités qui établissent le lien entre l'avancement des recherches en sciences de la vue et l'examen oculaire de base. Le Dr Feeley s'intéresse profondément aux effets des nouvelles technologies sur les yeux et la vision.

Travailler devant un écran est un guide pratique, destiné à l'opérateur qui ne souhaite pas se plonger dans un ouvrage scientifique trop détaillé. Il contient certains principes fondamentaux ainsi que des données pertinentes, tout en étant facile à lire et à consulter. Les troubles éventuels sont répartis en plusieurs chapitres. Les problèmes traités ne portent pas simplement sur la vue mais également sur l'analyse des descriptions de postes, l'état général de santé et de bien-être (maux de têtes, étourdissements, problèmes musculaires), le rayonnement et l'ergonomie. Tous les dangers qui menacent l'opérateur sur son lieu de travail sont mentionnés. Vous trouverez également une explication des méthodes qui peuvent permettre de les éviter de même que des solutions susceptibles d'aider à régler les problèmes qui apparaissent. Des conseils sont adressés aux personnes qui souffrent de handicaps visuels ou qui ont des problèmes de santé. La plupart d'entre elles peuvent travailler aussi efficacement que les autres avec des T.E.V. si l'on prend soin de répondre à leurs besoins spéciaux. En outre, l'auteur prend en considération les répercussions psychologiques du travail devant un T.E.V. car, étant donné qu'on attend de son opérateur un rendement accru, de la tension peut en résulter.

Les yeux de toute personne qui travaille devant un T.E.V. sont utilisés au maximum de leurs capacités. L'optométriste peut traiter les symptômes d'une telle surcharge visuelle, mais il est également important de cerner l'origine des problèmes. Il existe des liens entre les problèmes de santé et les conditions de travail dans les bureaux, auxquelles il faut maintenant ajouter l'utilisation des T.E.V. Par conséquent, cet ouvrage est destiné à aider le lecteur à comprendre comment il peut surmonter quelques-uns des aspects négatifs qui jettent une ombre sur l'utilisation des T.E.V., tout en fournissant certaines règles générales sur le travail à l'aide de terminaux.

Les affections oculaires causées par les radiations

Une mégadose particulièrement bien concentrée de radiations dans l'oeil ou autour de l'oeil est nécessaire pour produire des opacités ou des zones de vision réduite. Il est cependant rare que toute la rétine soit atteinte. Les diabétiques et les patients qui suivent une chimiothérapie sont les plus vulnérables. Certains traitements du cancer des yeux ou des sinus sont généralement la source de ce type de radiations. Le patient subit plusieurs traitements sans que rien se produise pendant plusieurs semaines, voire plusieurs années. Parfois il faut attendre près d'une quinzaine d'années avant que la vue se détériore. Plus le patient absorbe de rayons, plus il risque de perdre la vue à brève échéance.

La cataracte peut être provoquée par un rayonnement intense. Cependant, il est facile de la retirer, dans la plupart des cas, par une opération chirurgicale.

Voir La cataracte
Les radiations

Les analyses et descriptions de postes

Si vous ignorez les exigences visuelles, physiques, manuelles ou mentales de votre emploi, renseignez-vous auprès des personnes suivantes: optométristes, ophtalmologistes, médecins du travail, ingénieurs industriels, éclairagistes, hygiénistes industriels, concepteurs industriels, ingénieurs de la sécurité, spécialistes de psychologie appliquée. Les ergonomistes se trouvent dans les universités ou les laboratoires de recherche. Leur travail consiste à déterminer quel type de personne et quel type d'emploi sont compatibles. Les architectes vous mettront en contact avec l'ingénieur le plus susceptible de vous fournir des renseignements utiles si vous ne parvenez pas à découvrir d'ergonomiste.

Les compagnies déposent des descriptions de postes dans les bureaux de la direction du personnel. Les qualifications requises peuvent également être vérifiées.

Réclamez l'opinion de personnes expérimentées. Vous devriez connaître, avant d'accepter un emploi qui fait appel à l'utilisation prolongée d'un T.E.V., les normes de vision rapprochée qui sont nécessaires, les limites de coordination des muscles oculaires, la perception de la couleur et de la profondeur qui est exigée. Vous devriez peut-être vous renseigner aussi sur les temps de réflexe requis.

Les assurances

Si le médecin a diagnostiqué des problèmes qui sont en rapport avec votre travail devant un T.E.V., une période de réadaptation professionnelle peut se révéler nécessaire, auquel cas vous devrez recevoir une indemnité. Les polices d'assurance devraient faire état des fourchettes d'indemnités ainsi que des critères d'admissibilité. Les petites sociétés peuvent difficilement se permettre une surveillance médicale continue, contrairement aux grosses compagnies. Vous devriez cependant savoir qu'il existe des Commissions des accidents du travail et que l'on peut souscrire des polices d'assurance individuelles qui vous protègent contre les éventuels dangers au travail.

Les tâches qui exigent beaucoup de la vue ne provoquent pas des dommages irréversibles. La fatigue oculaire est curable. Les personnes qui souffrent déjà de troubles oculaires y sont prédisposées mais même celles auxquelles la vue n'a jamais causé de problèmes peuvent en être atteintes, si les caractères sont trop petits, si la lumière est insuffisante, et ainsi de suite.

Votre compagnie devrait avoir élaboré une ligne de conduite en matière de vision et défini son attitude en ce qui concerne la fourniture de lunettes aux employés, les normes d'éclairage et l'introduction de principes ergonomiques dans la définition des tâches qui font appel à la vue. Des normes relatives à la vision devraient être fixées pour les divers postes pertinents.

Les tâches qui exigent certaines aptitudes visuelles devraient être définies en tant que telles.

Votre vue devrait être examinée avant que vous soyez affecté à un poste qui requiert l'utilisation prolongée d'un T.E.V. (plus d'une heure par jour), puis régulièrement examinée par la suite, même si vous ne semblez pas présenter de trouble particulier. Renseignez-vous sur l'endroit où est classé votre dossier ophtalmologique.

Les biphényls polychlorés (BPC)

Les BPC n'existent pas à l'état naturel. Ils sont entièrement fabriqués par l'humain et ne se décomposent pas avant de nombreuses années. Ils ressemblent à un liquide incolore et visqueux mais peuvent également revêtir une forme solide. On les utilise comme liquide isolant à l'intérieur de certains T.E.V. On a relié leur utilisation au cancer, à des malformations congénitales, à des avortements spontanés et à des troubles cutanés, des éruptions notamment. Les BPC peuvent provoquer une irritation oculaire et endommager le foie. Le gouvernement fédéral a interdit l'utilisation des BPC dans l'industrie de la fabrication en juillet 1980 mais, à cette date, on les utilisait légalement depuis cinquante ans. Aux États-Unis, la réglementation autorise encore l'utilisation des BPC dans des systèmes fermés, fabriqués là-bas. En raison de l'attitude des autorités canadiennes et américaines, les BPC n'ont pas disparu.

Lorsqu'on soupçonne un problème, la teneur en BPC doit être immédiatement déterminée à l'extérieur du bâtiment, dans la pièce où se trouvent les T.E.V., dans l'entourage immédiat des terminaux et partout ailleurs, par le personnel d'entretien du fabricant ou les autorités de la santé. Les ingénieurs spécialisés en mécanique et en chimie possèdent des appareils de mesure ainsi que les ministères provinciaux de l'Environnement.

Selon la loi, la teneur en BPC d'un appareil ne devrait pas dépasser 50 parties par million. Malheureusement, ce produit peut être toxique, pour certaines personnes, à raison d'une partie par milliard.

Il arrive que des fuites provoquent des éruptions cutanées. La norme habituelle est d'un millionième de gramme par mètre cube d'air, mais certaines personnes présentent des réactions si elles sont exposées à une dose égale à la moitié de celle-ci.

En raison de l'apparition prochaine sur le marché de nouveaux écrans plats, les dangers de la contamination de l'air par les BPC risquent de s'accentuer.

Le matériel qui contient des BPC à l'état liquide et qui a été endommagé par le feu risque de contaminer l'environnement par l'émission d'une suie visqueuse à base de BPC. Il est possible d'éliminer les BPC indésirables à l'aide d'un processus de neutralisation très complexe et très coûteux qui consiste à mélanger les BPC à d'autres produits chimiques. Peu de compagnies de produits chimiques possèdent le matériel nécessaire pour procéder à l'opération. Renseignez-vous auprès de votre ministère provincial de l'Environnement.

Voir Les polluants atmosphériques
Le matériel d'évaluation

Le bruit

Un trop grand bruit provoque la tension et réduit la concentration. Dans certains cas, un niveau excessif de bruit peut élever la tension artérielle. Des protège-tympans peuvent réduire l'intensité du vacarme environnant.

Il est illégal que des personnes soient exposées à un bruit supérieur à 90 décibels (dB) sans que des mesures pertinentes soient prises afin de réduire soit l'intensité du bruit, soit la durée d'exposition.

Des personnes jeunes, dont l'acuité auditive est intacte dans la gamme des hautes fréquences (18 000 à 20 000 Hz), peuvent entendre le sifflement de l'alimentation électrique à haute tension d'un T.E.V.

Pour déterminer le niveau de bruit, servez-vous d'un sonomètre (disponible auprès des compagnies d'ingénierie électrique) pour établir le niveau de bruit causé par les appareils d'éclairage, la circulation automobile, les climatiseurs, les sonneries du téléphone, les conversations et tout le matériel de bureau. Les ventilateurs, les sonnettes, les imprimantes et les compteurs électriques ne devraient pas être omis. Pensez à déplacer quelques-uns de ces appareils, à les masquer, à modifier leur installation ou à les supprimer le cas échéant, avant d'installer un T.E.V. sur les lieux.

Voici quelques méthodes destinées à réduire le niveau de bruit:

— isolez le matériel bruyant, dans la mesure du possible;

— installez les appareils bruyants dans des pièces distinctes, en les entourant d'écrans acoustiques et en plaçant un rembourrage en dessous;

— les imprimantes ne sont pas toutes aussi bruyantes. Par conséquent, utilisez cette différence comme critère lorsque vous choisissez un nouveau modèle. En outre, il est possible de les doter de couvercles afin de diminuer l'intensité du bruit;

— les sonneries des téléphones devraient être réglées de manière à être le plus assourdies possible. Des lumières clignotantes peuvent servir à indiquer les appels;

— les lampes qui bourdonnent devraient être réparées;

— certains modèles de T.E.V. sont dotés de ventilateurs bruyants. De nouveau, utilisez cette caractéristique comme critère lorsque vous choisissez un nouveau terminal;

— certains T.E.V. à haute tension émettent un bruit constant dans la gamme des hautes fréquences;

— le bruit à spectre continu et uniforme, que l'on appelle aussi "bruit blanc" (qui est mis au point dans les bureaux par les compagnies), peut vous gêner même s'il est destiné à étouffer les autres bruits du bureau;

— délaissez temporairement les enregistrements de Muzak afin d'évaluer leur intérêt.

Un casque musical peut vous permettre de faire un travail répétitif dans un environnement désagréablement bruyant sans en souffrir.

Le niveau de bruit le plus confortable se situe entre 55 et 65 décibels. Un sonomètre peut vous permettre de le déterminer. Lorsque le bruit ne dépasse pas cette intensité, il est possible de parler sans problème au téléphone.

Si votre acuité auditive a fait l'objet d'un examen sans que cela ait réglé votre problème, renseignez-vous sur le type d'audiomètre qui a été utilisé. Il arrive que le patient ne soit soumis qu'à la gamme des hautes fréquences au cours de l'examen et non à une gamme plus étendue.

Les tentures et les carreaux insonorisants absorbent le bruit.

La cataracte

Tout rayonnement d'énergie est suffisant pour modifier le cristallin, produire la chaleur, rendre le globe plus opaque. L'effet n'est pas immédiat mais peut apparaître longtemps après. Plus la personne est jeune, plus elle est sensible au rayonnement.

Un bouleversement du métabolisme du cristallin s'effectue avant la formation de la cataracte, permettant de prévoir son apparition. La perception de profondeur diminue également avant que la cataracte commence à se former. Plusieurs sources de lumière éblouissante risquent d'aggraver le problème car elles obligent les muscles de la pupille à se réadapter constamment.

Les produits qui, absorbés, peuvent causer la cataracte sont nombreux. En voici quelques-uns: les stéroïdes, la chlorpromazine et la phénothiazine.

Les rayons X et les rayons gamma peuvent pénétrer le cristallin et provoquer des changements mineurs, stables mais irréversibles. Une petite dose de radiations ajoutée à l'effet de ces rayons peut donner naissance à une cataracte. Il est possible d'enrayer le processus avant une baisse notable de la vue, mais tous les êtres humains peuvent souffrir d'une cataracte, en général autour de soixante-cinq ans.

Les photocopieurs à sec émettent des rayons ultraviolets. Une exposition excessive aux ultraviolets peut provoquer l'apparition d'une cataracte. Cependant, de nombreuses sources naturelles émettent des ultraviolets, y compris le soleil.

Si vous êtes exposé à une dose excessive d'ultraviolets, vous constaterez que vos yeux rougissent, qu'ils deviennent sensibles à la lumière, et vous aurez l'impression que votre oeil contient un corps étranger. Tous ces symptômes constituent la photokératite (inflammation oculaire).

L'exposition excessive aux infrarouges peut également entraîner une cataracte. Ici encore, la lumière solaire est une source naturelle d'infrarouges.

Infrarouges, rayons X et rayons gamma peuvent tous provoquer la cataracte lorsque l'exposition est soit intense et de courte durée, soit prolongée mais de faible intensité.

L'absorption des ondes de haute fréquence peut produire des cataractes si l'exposition est d'une intensité et d'une durée suffisantes. Une exposition faible mais répétée peut avoir des répercussions à longue échéance, plusieurs années après.

Un T.E.V. mal réglé peut émettre un rayonnement d'une intensité anormale. Il est préférable de ne pas s'en servir.

Le rayonnement des ultraviolets, des infrarouges et des ondes de radiofréquence peut chauffer l'oeil, le rendant plus sensible aux rayons X.

Certaines personnes devraient éviter de se servir d'un T.E.V., notamment celles qui ont des antécédents familiaux de cataracte ou de cataracte "sénile" prématurée, ou qui souffrent d'une maladie qui prédispose à la cataracte, telle que le diabète.

Le cristallin, sur lequel se forme la cataracte, est très sensible au rayonnement, par comparaison au reste du corps. Si vos pupilles sont plus grandes que la normale, vous recevez un rayonnement à dose plus élevée qu'une personne dont les pupilles sont plus petites.

Certains T.E.V. émettent des ultraviolets "lointains" et des infrarouges "proches". Une exposition prolongée peut déclencher à retardement la formation d'une cataracte. En général, les T.E.V. émettent ces rayons à trop faibles doses pour laisser apparaître de véritables problèmes. Par conséquent, il est possible que les troubles dont souffrent certains opérateurs aient une autre source. Cependant, la dose de rayonnement, même faible, doit être ajoutée aux autres sources éventuelles. Les radiations émises par les infrarouges peuvent provoquer une tension calorifique, prélude à la formation d'une cataracte. Les ultraviolets commencent par causer une photokératite.

Les tranquillisants qui contiennent de la phénothiazine peuvent produire la cataracte, de même que des problèmes cutanés, si la personne est exposée aux ultraviolets pendant des périodes prolongées et présente une tendance génétique à ce type de trouble. Beaucoup de produits pharmaceutiques et chimiques d'usage courant, tels que des insecticides, des herbicides et des agents bactériostatiques, peuvent provoquer la cataracte s'ils sont absorbés tandis que la personne est exposée à la lumière ultraviolette.

Les effets à long terme d'une exposition à des rayons X de faible intensité peuvent comprendre la formation d'une cataracte, sans autre trouble décelable.

Si vous n'avez pas encore soixante-cinq ans et si vous souffrez d'une cataracte, étudiez votre dossier ophtalmologique pour vérifier si l'on avait déjà décelé des opacités. Il est possible que votre famille soit prédisposée à la cataracte précoce. En outre, des antécédents familiaux de diabète sont généralement associés à un nombre plus élevé de cataractes précoces. Assurez-vous que votre four à micro-ondes ne présente aucune fuite et faites vérifier toutes les sources de rayonnement de votre milieu de travail. (Les fabricants ou les installateurs des appareils sont équipés pour le faire, de même que les compagnies d'ingénierie électrique.)

Les cataractes provoquées par les ultraviolets sont plus fréquentes en haute altitude et dans les zones équatoriales, en raison de la dose supérieure de lumière ultraviolette que reçoivent ces régions. Les pilotes et les agriculteurs sont également soumis à des doses excessives. La lumière ultraviolette est cependant absorbée par les vitres et les lunettes.

L'oeil est 800 fois plus sensible aux ultraviolets qu'aux infrarouges. Le cristallin est la partie la plus sensible de l'oeil. Il jaunit au fur et à mesure que nous prenons de l'âge, absorbant ainsi une dose plus élevée de rayons ultraviolets.

Nous utilisons des écrans solaires pour protéger notre peau des ultraviolets mais rien ne peut protéger les yeux, à l'exception de lentilles qui absorbent les rayons. Les effets nocifs s'accumulent tout au long de notre vie.

La lumière solaire est une source naturelle d'ultraviolets mais nous sommes tous exposés, en outre, à des sources dont l'humain est responsable. Par exemple, les lampes fluorescentes, les lumières microbicides, les lampes à vapeur de mercure de haute intensité. Des écrans de couleur jaune placés devant ces sources peuvent diminuer l'effet des rayons.

La meilleure méthode pour éviter la formation d'une cataracte est de protéger les yeux contre ce rayonnement. Une fois la cataracte formée, seule une opération chirurgicale peut la faire disparaître.

La chaleur

Les T.E.V. produisent de la chaleur, d'une intensité d'environ 400 à 500 watts, parfois moins. Un être humain émet également près de 400 watts. Souvenez-vous que les ampoules électriques, les appareils à consommation énergétique et les humains entassés dans une pièce dégagent de la chaleur.

Ne vous installez pas le dos tourné vers l'arrière d'un autre terminal. Une distance d'au moins 1 m 20 (4 pieds) devrait vous séparer de *toute* bouche d'échappement de chaleur qui n'est pas masquée par un mur ou une cloison isolante.

Plusieurs imprimantes qui fonctionnent simultanément dans une pièce accroissent le degré de chaleur. Vous devriez placer un thermomètre dans la pièce et faire fonctionner le climatiseur central. Les climatiseurs individuels ne sont pas recommandés en raison du bruit supplémentaire qu'ils créent.

Toute absorption d'énergie électromagnétique accroît la température des tissus. La lumière solaire et artificielle est une source d'énergie électromagnétique, de même que les champs d'impulsions à basse fréquence que le T.E.V. peut émettre.

Si la chaleur assèche vos yeux, des larmes artificielles vous soulageront peut-être. Il s'agit de gouttes qu'il faut instiller à intervalles réguliers (de 1 à 4 heures selon la marque). Un assèchement prolongé peut causer la conjonctivite. Vos yeux deviendront rouges et enflammés. Vous devrez alors consulter votre généraliste.

La chaleur accroît les effets des rayons X sur les tissus vivants.

Si le degré de chaleur d'une pièce augmente, il convient d'élever le degré d'humidité. Une humidité relative de 70 pour 100 est agréable si la température dépasse 20°C (70°F). Évitez toutefois les fluctuations durant les heures de travail pour permettre à vos muqueuses de s'adapter.

Une trop forte chaleur, alliée à une humidité excessive, fatigue très rapidement. Si vous avez la peau sèche et des maux de gorge, essayez d'élever le degré d'humidité de la pièce.

Voir L'humidité

Le champ d'électricité statique

Un champ d'électricité statique est formé par l'accumulation de particules de poussière sur l'écran d'un T.E.V. et sur des lentilles de lunettes en plastique. Les charges électriques peuvent se communiquer à l'opérateur. L'électricité statique emmagasinée dans le corps est alors déchargée au contact d'un objet de métal, créant un choc.

On peut obtenir des aérosols destinés à réduire l'électricité statique auprès des fabricants de T.E.V. et des opticiens. N'utilisez pas d'aérosols qui laissent une pellicule malpropre sur le verre et prenez soin de vaporiser la solution de façon égale. Cependant, si l'atmosphère contient déjà des particules de poussière, il est préférable que ces particules, s'il est impossible de les éliminer, s'accumulent sur votre écran plutôt que dans vos poumons.

Porter des vêtements en fibres synthétiques attire les particules. Les yeux sont particulièrement visés.

La ventilation élimine les particules atmosphériques. Lorsqu'il fait froid, l'air du bureau devrait idéalement être renouvelé une fois par jour. Cependant, il devient alors nécessaire de maintenir le degré d'humidité approprié car la sécheresse de l'air favorise l'accumulation d'électricité statique.

Voir L'humidité

L'électricité statique peut se décharger dans le châssis du T.E.V. et détériorer la qualité de l'image en déformant les lettres. Faites poser une moquette en fibres naturelles ou une grille de cuivre sous la moquette existante. Les T.E.V. peuvent être mis à la terre par les fabricants.

L'irritabilité et la somnolence sont parfois les premiers symptômes d'une accumulation d'électricité statique.

Lorsque les champs d'électricité statique sont constamment puissants, certaines personnes réagissent par des démangeaisons et des éruptions qui apparaissent sur le visage, les joues et dans le cou. Cette réaction est précédée d'une stimulation des follicules pileux, un peu comme si l'on promenait une plume sur la peau. Des migraines peuvent également se produire.

Le radon

Le radon est un rayonnement gazeux que l'on trouve dans certaines roches et certains sols, partout sur terre. Tous les bâtiments, y compris les résidences, contiennent du radon, qui est émis par certains matériaux de construction. C'est pourquoi il arrive que la concentration de radon soit plus forte à l'intérieur qu'au grand air, surtout dans des édifices scellés, parfaitement isolés.

Le radon se désintègre rapidement (en quelques jours) et produit des particules qui se combinent aux grains de poussière et vont ensuite se loger dans les poumons. Lorsqu'il y a beaucoup d'électricité statique, ces particules sont attirées vers les écrans de T.E.V., à la suite de quoi le terminal paraît sale et la dose cumulative de radiations que l'organisme reçoit pendant la durée de sa vie se trouve augmentée. Les particules qui ont été attirées vers les poumons émettent des radiations pendant une période très courte mais suffisante, pense-t-on, pour provoquer le cancer du poumon. Car bien que ces radiations se dissipent rapidement, elles persistent assez longtemps pour créer des dommages. Il faut absolument faire circuler l'air et ventiler les pièces.

Voir Les radiations

Les propriétés antistatiques de tous les écrans de T.E.V. devraient être évaluées, puis comparées avec celles des écrans de verre ordinaire ou d'acrylique. Il convient de noter le degré d'humidité présent au moment où les vérifications ont été effectuées. Toutes les mesures doivent être prises à 20 mm (3/4 pouce) de l'écran, à l'aide d'un électromètre.

Le fabricant peut fournir le blindage électrostatique. Les compagnies de génie électrique peuvent mettre les appareils à la terre. Actuellement, il n'existe pas de normes relatives à l'exposition aux émissions électrostatiques.

Si vous pensez souffrir d'un trouble provoqué par l'électricité statique, essayez de remarquer si vous vous sentez mieux pendant les fins de semaine et les vacances.

Les climatiseurs

Si le rhume et la grippe sévissent perpétuellement dans votre bureau, demandez au personnel sanitaire ou de sécurité de vérifier si les conduits des climatiseurs contiennent des bactéries ou des champignons. Un entretien et un nettoyage réguliers sont indispensables.

Sauf s'ils sont extrêmement bruyants, évitez de fermer les climatiseurs car ils sont utiles pour dissiper la chaleur engendrée par le matériel électrique et les humains dans les bureaux.

Ne placez aucun ventilateur près d'un T.E.V; cela risquerait de créer un champ magnétique.

Les climatiseurs éliminent les ions négatifs de l'air (certains éliminent tous les ions). Remplacez ces derniers en ouvrant les fenêtres ou en utilisant un générateur d'ions négatifs (ils sont en vente dans les magasins d'appareils électriques).

Voir Les ions positifs

Il faut fréquemment remplacer l'air d'un bâtiment en introduisant de l'air extérieur s'il est impossible d'ouvrir les fenêtres et que les matériaux synthétiques, les produits chimiques et la fumée de tabac s'accumulent dans l'atmosphère. Les odeurs corporelles, les émissions de gaz (de radon, par exemple), les photocopieurs, les machines à écrire, les moquettes, le mobilier et les cloisons traitées chimiquement contribuent à accroître la quantité de particules atmosphériques indésirables. Dans un vieil édifice mal isolé, l'air se remplace une fois par heure. Les nouveaux bâtiments entièrement scellés sont en revanche potentiellement dangereux.

Voir Les polluants atmosphériques

Le daltonisme

Il existe plusieurs examens qui permettent de détecter le daltonisme. Certains révèlent simplement si vous êtes ou non daltonien tandis que d'autres fournissent des détails précis sur les nuances de couleur qui demeurent totalement invisibles ou qui se confondent entre elles. Le type et l'intensité de la lumière utilisée pendant l'examen peuvent modifier les résultats.

Les couleurs que vous distinguez à l'aide de votre vision périphérique (latérale) peuvent paraître différentes lorsque vous les voyez directement devant vous. Par exemple, une lumière verte tenue sur le côté, au niveau de votre épaule dans votre main tendue, paraîtra blanche si vous regardez droit devant vous. L'âge modifie la perception des couleurs. La plupart des personnes daltoniennes sont nées ainsi et il n'existe aucun remède. Mais d'autres le deviennent à la suite d'un problème passager ou chronique, d'une blessure, d'une maladie, de l'absorption de produits pharmaceutiques ou chimiques. Il est possible que chaque oeil voie les couleurs différemment. Le diabète peut aussi modifier la perception des couleurs.

Le daltonisme varie largement selon les patients. Il peut aller d'une confusion presque impossible à déceler de certains bleus et verts jusqu'à l'absence totale de sensibilité aux verts et aux rouges.

Même si vous n'avez aucun problème de vision, la lumière atténuée qui entoure la plupart des T.E.V. risque de provoquer une confusion du bleu et du vert, tandis que le jaune vous paraîtra brunâtre. Si vous commencez à avoir des difficultés à identifier des couleurs qui ne vous posaient autrefois aucun problème, vous devriez subir un examen détaillé de votre perception des couleurs, qui permettra d'établir votre capacité de distinguer le rouge du vert, ainsi que le bleu du jaune.

Chez les Nord-Américains, 8 pour 100 des hommes et 0,5 pour 100 des femmes sont atteints de daltonisme, lequel est plus ou moins accentué. On remarque principalement chez ces personnes une mauvaise perception du vert qui leur semble délavé, voire nuancé de jaune ou d'orange.

Les personnes daltoniennes ne devraient pas porter de lunettes teintées d'une nuance autre que le gris.

Certains produits pharmaceutiques peuvent modifier la perception d'un ensemble de couleurs, exactement comme si vous regardiez à travers un filtre coloré. Trop d'aspirine rend jaunâtre tout ce qui nous entoure. Les diurétiques peuvent faire apparaître des points jaunes sur un fond blanc. Les personnes qui se servent de nitroglycérine voient parfois un anneau jaune se former autour des objets foncés, anneau lui-même encerclé par un autre anneau de couleur bleue. L'absorption prolongée de tranquillisants peut donner une teinte jaunâtre ou brunâtre à l'environnement visuel. Une quantité excessive de café, de thé et de boissons à base de cola stimule la perception du rouge tout en atténuant celle du bleu. Ces changements se produisent très progressivement et, notre vue s'adaptant rapidement, nous ne remarquons rien.

Certains produits administrés aux épileptiques revêtent l'environnement visuel d'une espèce de lueur blanche et affaiblissent la perception des couleurs. Les sulfamides semblent donner aux objets une teinte jaunâtre ou bleuâtre. La tétracycline diminue la perception du bleu et du jaune, mais cet effet n'est que passager. Certains contraceptifs oraux peuvent teinter l'environnement d'une nuance bleutée.

L'absorption de doses excessives (plus élevées que les doses recommandées) de vitamine A peut donner une teinte jaunâtre aux objets.

Dans une pièce dont l'air ne contient pas assez d'oxygène, les verts et les bleus semblent pâlis tandis qu'un excès de gaz carbonique ou d'oxyde de carbone apporte une nuance jaunâtre à l'environnement.

Les diabétiques peuvent avoir de la difficulté à différencier le violet du bleu ou du vert. Les personnes qui suivent un régime à faible teneur en lipides (et donc, en vitamine A) perdent une certaine sensibilité à l'ensemble des couleurs. Les agents antihistaminiques et l'alcool peuvent créer la confusion de certains bleus et certains jaunes. Un patient qui vient d'être opéré de la cataracte devient hypersensible aux bleus, car ils avaient disparu de sa perception des couleurs.

Si vous ne pouvez modifier les couleurs de votre écran, placez un filtre. Il est possible que le fabricant fournisse un filtre rose pour atténuer la nuance des lettres vertes que vous trouvez peut-être déplaisante.

Si vous êtes exposé au plomb, à l'éthanol ou au méthanol, au bisulfate de carbone ou au thallium, votre perception des couleurs peut se modifier, que vous ayez ou non un problème visuel au départ.

Le daltonisme n'est pas un handicap sérieux du point de vue de l'emploi, sauf si votre travail comprend le tri ou l'évaluation d'objets en fonction de leurs couleurs.

Les douleurs dans les bras

Si vous ressentez des douleurs dans le bras, l'avant-bras et le poignet après seulement une demi-heure de travail, bien que vous ne souffriez d'aucune maladie ou difformité dans cette région du corps, il est possible que votre dextérité et votre coordination en pâtissent. Les fautes de frappe deviennent alors plus fréquentes, vous vous sentez irritable et serez porté à blâmer vos yeux. En réalité, il se peut que vous soyez surmené, mal assis, que le matériel soit mal conçu, que votre formation soit insuffisante. Si aucune de ces raisons ne vous paraît la bonne, consultez votre médecin, qui vérifiera l'efficacité de vos muscles et la force de vos mains. Essayez de remarquer le moment exact où apparaissent les symptômes. Si vous vous sentez plus mal le matin que l'après-midi, le vendredi après-midi et le lundi matin, toutes ces douleurs signifient peut-être que vous détestez tout simplement votre travail.

Les muscles qui font des efforts excessifs peuvent avoir des spasmes. Tâchez de vous souvenir si vous avez déjà ressenti ce genre de phénomène dans le passé. Il vous sera peut-être nécessaire de réduire votre vitesse de travail.

Les personnes qui ont des antécédents de troubles d'apprentissage sont peut-être plus susceptibles de ressentir des douleurs dans les bras.

Les femmes dont le rapport poids/taille est faible sont plus prédisposées aux douleurs dans les bras.

Les exercices de flexion des doigts et ceux qui permettent d'accroître la force de prise sont utiles car ils renforcent la musculature. Essayez de plier chaque articulation de chaque doigt, l'une après l'autre. Agrippez le rebord d'une table aussi fort que possible, puis relâchez votre prise. Répétez l'exercice plusieurs fois de suite. (Vous pouvez aussi serrer une balle de caoutchouc qui se loge dans la paume de votre main.)

Si vous utilisez vos doigts une partie de la journée, essayez de vous servir au maximum des pouces pour enfoncer certaines touches du clavier.

L'éblouissement

L'éblouissement peut d'abord provoquer une impression de clarté excessive, suivie d'une sensation d'inconfort.

Toute lumière qui se reflète sur l'écran devrait être supprimée, y compris la lumière renvoyée par des fenêtres, des surfaces de travail luisantes, des murs blancs (derrière un écran sombre), des claviers et des lampes ordinaires. Portez des vêtements sombres ou une blouse de travail. L'une des pires erreurs consiste à placer un T.E.V. devant une fenêtres orientée au sud et sous un plafonnier. S'il est impossible d'éviter que la lumière entre par les fenêtres, placez le terminal à angle droit par rapport à la fenêtre afin de limiter la réflexion. Déplacez les cloisons, posez des paravents de style japonais ou des écrans fixés au plafond (sous réserve qu'ils n'emprisonnent pas l'excès de chaleur) pour réduire l'éblouissement.

Les touches du clavier ne doivent pas être concaves (en forme de soucoupe) afin de ne pas réfléchir la lumière. Il est parfois possible de frotter légèrement des touches luisantes au papier de verre pour les rendre plus mates. Des touches plates et mates sont idéales.

Pour vérifier le degré d'éblouissement, levez les yeux au-dessus de chaque zone que vous devez regarder (écran, document, imprimante). Y a-t-il une source de lumière dans votre champ de vision? Y a-t-il un reflet? La lumière est-elle, par exemple, renvoyée par un mur, un téléphone? Les lumières qui proviennent des autres T.E.V. qui se trouvent dans votre ligne de vision ainsi que tous les reflets connexes sont particulièrement gênants.

Placez la main au-dessus des sourcils, comme pour saluer. Si vous vous sentez mieux ainsi, c'est qu'il y a effectivement quelque chose dans votre entourage qui produit un reflet désagréable.

Prenez une photographie des reflets sur votre écran et étudiez-la. Un bureau revêtu de matériau brillant peut se révéler étonnamment gênant.

La peau grasse et luisante de votre front en fin de journée peut se réfléchir sur l'écran, ainsi que d'autres objets qui ne brillaient pas le matin, lorsque vous avez entrepris de supprimer les sources d'éblouissement. Parmi ces phénomènes, on compte: les chandails de couleur claire, les signes de sortie lumineux qui s'allument vers la fin de la journée et les gens qui passent et repassent devant votre écran. Les filtres polariseurs sont très efficaces pour régler ce problème. Méfiez-vous des signes indicateurs qui s'illuminent occasionnellement, des horloges qui brillent dans un environnement obscur et des fluctuations de la luminosité qui se produisent lorsque l'éclairage est régi par des interrupteurs à gradation de lumières. (Ils ne sont peut-être utilisés qu'occasionnellement, par exemple pendant les journées les plus courtes de l'année, et vous risquez de les omettre dans votre évaluation initiale.) Les garnitures chromées luisent dans des pièces obscurcies.

Il est rare que l'on puisse modifier l'éclairage des bureaux. Pour résoudre le problème, changez l'orientation de votre pupitre, en lui faisant accomplir un quart de tour ou un demi-tour. Si vous vous trouvez en plein milieu du bureau, vous ne pourrez probablement pas supprimer toutes les sources d'éblouissement.

Les fabricants peuvent fournir sur demande un écran antireflets de verre gris ou légèrement rugueux. Il existe aussi des filtres à micromailles, mais ils ne sont pas aussi efficaces. Dans les avions, on pose des écrans concaves pour éliminer l'éblouissement, mais ce système n'a pas encore été adapté aux T.E.V.

Si l'éblouissement n'est qu'occasionnel, par exemple lorsqu'il est provoqué par la lumière d'une fenêtre qui n'est ensoleillée que durant quelques heures, vous pouvez installer un écran antireflets sur votre T.E.V. Il est cependant préférable de poser un store ou un auvent devant la fenêtre en question. Déplacez votre terminal vers une zone qui n'est éclairée qu'indirectement. Dans la mesure des possibilités, utilisez des interrupteurs à gradation de lumière. Une solution simple consiste à placer une feuille de carton au-dessus de l'écran et à éteindre toutes les lumières fluorescentes qui se trouvent au-dessus de vous.

Si vous ne pouvez supprimer totalement les sources d'éblouissement, songez à poser une plaque "polaroïd" (fabriquée par la compagnie Polaroid) devant votre écran. Ainsi, seule la lumière provenant du tube cathodique sera visible. Les autres lumières qui luisent sur l'écran ne seront pas reflétées. Vous pouvez acheter une plaque simple ou alliée avec du plomb, mais elle est relativement coûteuse. En dernier ressort, vous pouvez installer une housse autour de l'écran, mais cette méthode isole l'opérateur du reste de la pièce, accroissant la quantité d'air vicié qu'il respire.

Si vous ne pouvez éliminer les sources d'éblouissement, accroissez les contrastes négatifs (lettres sombres sur fond clair). Vous pouvez aussi rendre les caractères aussi brillants que possible et augmenter l'éclairage de votre document imprimé.

La "brillance" et le "contraste" sont deux boutons qui modifient l'image de manières différentes. Vous pouvez régler la brillance globale de l'écran afin de l'adapter à la brillance environnante ou accentuer le contraste des lettres par rapport au fond. Vérifiez l'efficacité de votre manoeuvre en regardant les lettres ouvertes.

L'espace sera soit flou, soit net. (Par exemple, un "a" ou un "c" ne doivent pas ressembler à un "o".)

Un éblouissement prononcé peut être réduit par d'autres moyens: un revêtement antireflets sur vos lentilles de contact, qu'elles soient en verre ou en plastique, la réduction du scintillement de l'écran, la pose d'écrans antiéblouissement et l'atténuation de l'éclairage situé directement au-dessus du terminal. De grosses lampes ou plusieurs lampes rassemblées dans une zone isolée du plafond sont particulièrement nocives et doivent être munies d'un diffuseur de lumière. Des grilles-écrans prismatiques peuvent être obtenues auprès des spécialistes de l'éclairage.

La lumière artificielle se contrôle plus facilement que la lumière naturelle.

La lumière indirecte est la meilleure. On peut facilement poser des feuilles d'acrylique sur les tubes fluorescents, mais elles sont coûteuses. Vous pouvez aussi retirer quelques ampoules. À l'aide d'un luxmètre, vérifiez combien d'ampoules vous pouvez retirer tout en conservant un éclairage suffisant.

S'il est impossible de retirer des tubes fluorescents, essayez d'installer des ampoules qui englobent la totalité du spectre pour réduire l'éblouissement ou utilisez des tubes d'une plus faible intensité. (Le "blanc de luxe" est préférable au "blanc" ordinaire.)

Si des lumières fluorescentes sont nécessaires, assurez-vous que votre pupitre est placé à angle droit par rapport aux tubes. Ainsi, vous pouvez éliminer l'éblouissement en manoeuvrant l'écran vers l'avant ou vers l'arrière, d'un côté ou de l'autre. Vous pouvez aussi essayer l'éclairage localisé ou linéaire.

Évitez les lumières situées devant le terminal car leur reflet risque de suivre la même direction que les lignes de caractères sur l'écran.

Voir Le lieu de travail

L'éclairage

Entre votre papier blanc et votre écran sombre, le rapport de contraste devrait être de 35 pour 1. Utilisez un luxmètre pour le calculer.

Dans une pièce qui doit être exclusivement conçue pour abriter des T.E.V., un conseiller en éclairage doit être consulté avant l'installation du matériel.

Il vaut mieux que les T.E.V. soient installés dans des pièces artificiellement éclairées que dans des pièces qui possèdent des fenêtres. Un rapport de contraste de 500 pour 1 peut être établi entre les fenêtres qui donnent sur l'extérieur (et par lesquelles entre la lumière solaire) et les écrans des terminaux.

Lorsque la pièce possède des fenêtres, il convient de les masquer, notamment durant les heures de soleil. Le terminal devrait être placé perpendiculairement à la fenêtre.

Ne vous asseyez jamais face à une fenêtre lorsque vous travaillez devant un T.E.V.

Les lumières environnantes devraient être aussi faibles que possible, tout en vous permettant de bien distinguer papiers et crayons.

La luminance du fond devrait être de l'ordre de 100 à 300 lux (nombre de lumens par mètre carré, le terme "bougie-mètre" étant tombé en désuétude). Les tâches visuelles, qui exigent une certaine concentration, font appel à un éclairage de 300 à 500 lux (la lumière solaire est de 100 000 lux). Utilisez un luxmètre correctement étalonné. Si votre appareil ou celui de votre conseiller en éclairage emploie la bougie-mètre comme unité de mesure, 20 à 40 bougies-mètre dans un espace ouvert représentent l'intensité idéale. La lecture des détails sur un écran de terminal exige un éclairage de l'ordre de 70 bougies-mètre.

Un pupitre sombre sur lequel sont posés des documents blancs n'est guère recommandé.

Lorsque vous vérifiez votre éclairage, souvenez-vous que l'écran, le document de papier et les gens qui vous entourent sont les trois choses que vous devriez voir en détail.

Le contraste entre l'écran et le document imprimé devrait être minimal. Le degré de brillance devrait être quasi équivalent. Il en va de même de l'écran et de la zone environnante. Il faudrait avoir la possibilité de régler l'éclairage de l'écran, du document de papier et de la zone environnante à l'aide, par exemple, d'interrupteurs à gradation de lumière.

Les lumières utilisées dans les serres (il s'agit d'une sorte de lumière fluorescente qui émet dans un spectre plus étendu que les lumières fluorescentes ordinaires) sont tout à fait recommandables, sous réserve que votre exposition aux ultraviolets, par exemple lorsque vous prenez des bains de soleil, ne soit pas, par ailleurs, excessive car ces lampes libèrent des ultraviolets. Les lentilles de vos lunettes, qu'elles soient en plastique ou en verre, peuvent être teintées ou revêtues de manière à réduire la dose supplémentaire d'ultraviolets qui atteint les yeux. Le verre des tubes fluorescents absorbe la plus grande partie de la lumière ultraviolette qu'ils émettent.

Toute lumière directe devrait être placée dans une embrasure ou un coin. Si tel n'est pas le cas, installez un écran au-dessus de manière à diriger le rayon lumineux vers le sol en l'empêchant de se diffuser. Quoi qu'il en soit, tous les tubes fluorescents devraient être munis de diffuseurs, tels que des écrans translucides. Évitez *toute* lumière en provenance du plafond, dans la mesure du possible.

Un éclairage fluorescent trop puissant laisse échapper une dose excessive d'ultraviolets, auxquels certaines personnes sont sensibles. Des écrans jaunes posés devant les tubes absorbent les ultraviolets indésirables. Vous pouvez également porter des lunettes teintées en jaune.

La couleur de la lumière devrait être esthétiquement agréable et ne pas donner à la peau une teinte blanc verdâtre. Si vous travaillez sous une lampe à vapeur de sodium très puissante (dans un entrepôt par exemple) dont la teinte est orange, ajoutez une lumière fluorescente blanche pour atténuer l'orange. Si vous travaillez huit heures par jour sous un éclairage orange, vous risquez de voir une image différée, de nuance bleutée, pendant les quelques heures qui suivent.

Chez les personnes de soixante ans, la dose de lumière qui atteint la rétine est égale au tiers de la dose qui atteint l'oeil d'une personne de vingt ans. Par conséquent, les personnes âgées doivent travailler sous un éclairage plus puissant, si leur cristallin ne comporte pas d'opacité centrale, signe précurseur de la cataracte présénile. Cependant, la sensibilité à l'éblouissement augmente avec l'âge.

La lumière exigée pour travailler avec des documents imprimés est plus puissante que celle qui est nécessaire pour utiliser un T.E.V.

Lorsque vous introduisez des données dans votre terminal, vous avez besoin de plus de lumière que lorsque vous manipulez des données déjà programmées.

Dans une pièce obscure, les pupilles sont dilatées et plutôt immobiles. Cependant, si vous êtes fatigué, elles risquent de changer de forme. Juste avant que nous nous endormions, nos pupilles se rétrécissent considérablement. Chez une personne très fatiguée, qui est exposée à de brefs éclairs de lumière, les pupilles se rétrécissent, exactement comme si elles se préparaient au sommeil. Cependant, au lieu d'être pratiquement immobiles, elles se déforment de manière désordonnée. La fatigue s'accroît. Les personnes dont le sommeil est perturbé et qui sont constamment fatiguées connaissent ce phénomène. Consultez votre généraliste car la dépression provoque peut-être ces symptômes.

Au fur et à mesure que vous vous fatiguez et atteignez un état de somnolence, vos pupilles se rétrécissent, ce qui vous oblige à augmenter la lumière sous laquelle vous travaillez. Les pupilles sont souvent dilatées le matin et ont tendance à se rétrécir pendant l'après-midi. Une attitude positive, un sentiment de motivation peuvent enrayer ce processus, de même que l'enthousiasme et la stimulation psychique. La vigilance peut aussi renverser cette tendance.

Une image double d'un objet unique est particulièrement dangereuse si elle est répétée car vos yeux s'efforcent, à chaque reprise, de focaliser entre les deux images, par un mouvement rapide. Ces images peuvent se retrouver entre les deux surfaces de verre de votre écran. Les deux petites images d'une ampoule électrique qui seraient séparées par un espace minuscule en constituent un exemple.

Si vous commencez à ressentir une douleur dans n'importe quelle partie du corps (maux de tête, de dos, etc.), les pupilles se dilatent. Cependant, une lumière vive ou une sensation d'éblouissement les obligera à se contracter. À la suite de ces efforts contradictoires, les pupilles se mettront à frémir, créant une sensation désagréable.

Les personnes dont les pupilles réagissent lentement préfèrent parfois les contrastes négatifs (lettres sombres sur fond clair) puisque cet arrangement leur rappelle les documents imprimés.

Les personnes qui souffrent de migraines ou dont la vision binoculaire présente des troubles sont légèrement photophobiques, de même que les personnes qui ne possèdent pas d'oeil dominant. (La plupart des droitiers ont comme oeil dominant le droit, ce qui leur permet de coordonner les mouvements de la main avec ceux des yeux.)

Si vous n'êtes pas certain des conditions d'éclairage qui vous semblent les plus confortables, essayez de régler la brillance et le contraste jusqu'à ce que l'écran soit aussi lumineux que le reste de la pièce. Puis, une fois que vous avez commencé à travailler, essayez de remarquer si votre tête a tendance à se déplacer de manière à éviter un reflet sur l'écran. Si tel est le cas, déplacez votre matériel de manière à pouvoir tenir la tête bien droite en travaillant.

Voir Le lieu de travail

L'entretien

Il convient de vérifier le bon fonctionnement de chaque T.E.V. tous les six mois. S'il s'agit de modèles anciens et, notamment, d'appareils d'occasion, une révision trimestrielle s'impose. Selon le modèle en question, il est possible que le personnel d'entretien soit obligé de démonter l'arrière de l'appareil pour entreprendre la révision.

Les appareils se détériorent, ce qui modifie certaines de leurs caractéristiques telles que les types et degrés de rayonnement, le contraste sur l'écran, le degré de chaleur et le niveau de bruit.

Si vous constatez un changement en ce qui concerne l'émission de rayonnement, renseignez-vous sur les marges de sécurité existantes. Les organismes de santé et de sécurité au travail peuvent vous fournir ces informations.

Bien qu'on n'ait pu prouver que les T.E.V. émettaient des micro-ondes, il est vrai que les micro-ondes présentes dans l'environnement sont réfléchies, absorbées et transmises par des objets qui se trouvent dans leur champ, en particulier des objets métalliques. Le plastique n'intercepte pas celles-ci. L'oeil est la partie du corps la plus sensible aux micro-ondes, de même que la vésicule biliaire.

On peut installer des écrans acoustiques afin de diminuer le bruit.

Les T.E.V. qui ont un certain âge posent des problèmes importants: la brillance diminue et les caractères deviennent moins lisibles. Remplacez les tubes cathodiques qui présentent des signes évidents d'usure.

Des lettres luminescentes de courte durée provoquent un scintillement notable. Les lettres luminescentes de longue durée font naître des images différées qui persistent. Quant aux lettres à durée moyenne, elles conviennent à la majorité des gens, le taux de fréquence d'images étant alors de 35 à 40 par seconde.

Les réparateurs devraient être correctement formés et avoir suffisamment d'expérience professionnelle. Ils devraient connaître les codes de sécurité du travail, les lignes directrices concernant les T.E.V. et les normes qui sont applicables au matériel.

L'environnement de travail

Les meubles, les murs et les revêtements de sol ne devraient pas être d'une couleur sombre et déprimante. Cependant, il faut éviter les couleurs vives et les combinaisons trop contrastées qui risquent de vous distraire. À proximité d'un T.E.V., il ne devrait y avoir ni murs blancs ni fenêtres afin de limiter l'éblouissement. Vous pourriez peut-être poser un paravent, le cas échéant.

Le travail devant un T.E.V. faisant appel à votre vision rapprochée, il serait bon de reposer vos yeux, dès que vous commencez à voir flou ou à ressentir une tension oculaire, en regardant une scène qui se déroule à quelques mètres de distance. Ne fixez pas les yeux sur un mur vide. Des tableaux et des plantes sont utiles pour rompre la monotonie de l'environnement.

Les plantes font naître une sensation de bien-être chez de nombreuses personnes, pourvu que celles-ci ne soient allergiques ni aux plantes, ni aux insectes qu'elles abritent. En outre, les plantes apportent de l'oxygène dans l'atmosphère. Il peut arriver, cependant, que certaines personnes soient mentalement plus alertes lorsque l'air du bureau contient une petite dose supplémentaire de gaz carbonique.

L'épilepsie

Certaines personnes épileptiques sentent qu'une crise est sur le point de se déclencher lorsqu'elles sont exposées à des lumières clignotantes. C'est ce qu'on appelle "l'épilepsie réflexe", qui est provoquée par une stimulation sensorielle. Les personnes affectées sont donc plus sensibles au scintillement des lumières sur un écran de terminal.

Si les lettres de votre écran clignotent visiblement 10 fois ou moins par seconde et que vous êtes prédisposé à l'épilepsie réflexe, vous risquez de faire une crise. Même à un rythme de 50 fois par seconde, les effets peuvent être désastreux, surtout si les lumières fluorescentes papillotent également. À 60 fois par seconde (60 Hz), il devient impossible de distinguer le clignotement.

Une brillance accrue permet de mieux voir l'image mais aggrave aussi l'effet de scintillement. Vous pouvez réduire la taille et la luminance de l'affichage. Le scintillement est plus facilement décelable lorsque l'écran est de grande taille. Un écran sur lequel est affiché un texte qui comporte moins de lignes peut aussi déclencher une crise d'épilepsie.

L'affichage luminescent à changement lent est plus stable que l'affichage à changement rapide. L'image est maintenue plus longtemps et la nouvelle image apparaît tout juste avant que la précédente disparaisse. Cela causera peut-être un problème d'"image fantôme" que l'opérateur peut facilement régler. L'illusion de mouvement rapide s'estompe toutefois.

Si le clignotement demeure gênant, accroissez la fréquence de répétition d'images à 80 Hz, ou utilisez des lettres luminescentes qui s'effacent plus lentement. Si vous avez déjà eu une crise d'épilepsie en regardant la télévision, il est probable que vous en aurez une en travaillant devant un écran.

Le scintillement peut être limité lorsqu'on choisit une couleur d'image différente. Puisque le clignotement qui est distingué à la périphérie du champ de vision est plus désagréable que celui du centre de l'image, arrangez-vous pour ne pas voir l'écran de la personne qui travaille à vos côtés. Modifiez les lumières fluorescentes de manière à éliminer tout clignotement flagrant (les vieilles ampoules clignotent avant de s'éteindre définitivement). Remplacez les boutons d'allumage défectueux afin d'accroître le rythme de clignotement. Trop de lumières sur le même circuit suffit à les faire clignoter de concert.

Vérifiez l'alimentation électrique. Si elle est irrégulière, toute la lumière de l'écran se mettra à clignoter lentement.

Si vous sentez la tension monter en vous à cause du clignotement, fermez un oeil, puis l'autre.

Il est possible que de devoir regarder de près des objets accroisse les risques de déclenchement d'une crise. Méfiez-vous des ampoules clignotantes. Leur clignotement peut être au-dessus de la fréquence critique s'il s'agit de votre vision centrale, mais non s'il s'agit de votre vision périphérique. Vingt-cinq éclairs par seconde est la fréquence la plus susceptible de provoquer une réaction convulsive.

Les personnes âgées perdent la faculté de déceler les clignotements rapides. Les deux raisons principales sont la fréquence du clignotement stroboscopique et la vitesse de mouvement qui, seule, n'est pas un facteur. La présence de lignes horizontales blanches et noires, elle, en est un.

Réduire la brillance réduit également le scintillement, mais assurez-vous que la lumière n'est pas trop faible en comparant Y à K, Q à O, T à Y, S à 5, I à L, U à V et I à 1.

Une personne sur 200 est atteinte d'épilepsie. Trois pour cent de ces patients sont atteints d'épilepsie réflexe, déclenchée par stimulation visuelle, telle que celle qui est provoquée par des bandes blanches et noires d'abord immobiles, puis en mouvement.

Les éruptions cutanées

L'accumulation d'électricité statique, à la surface d'un écran de T.E.V., par exemple, peut provoquer des éruptions cutanées. Les radiations ultraviolettes (provenant des lumières fluorescentes et, dans une certaine mesure, du T.E.V.) peuvent également causer une éruption si elles réagissent à un produit qui se trouve sur votre peau. Changez de savon ou évitez d'utiliser une lotion pour les mains, en particulier si elle est parfumée. Les produits chimiques sont une autre c cause d'éruptions; parmi ceux-ci se trouve le trichloréthylène contenu dans les liquides correcteurs, les encres et les colles. Ce produit peut également provoquer des céphalées.

Voici quelques autres articles susceptibles d'irriter la peau: les rubans de machines à écrire et les photocopies, ainsi que l'ammoniaque contenue dans les détergents et les solutions de nettoyage de certains humidificateurs.

Si vous constatez une inflammation soudaine de la peau, soit une "dermatite de contact", essayez de vous souvenir si vous avez commencé à manipuler du papier carbone ou des photocopies un peu avant qu'elle apparaisse. Servez-vous le moins possible de produits irritants et lavez-vous les mains aussi souvent que nécessaire. Les réactions sont très différentes selon les individus; certains ne sont même pas touchés par le contact des produits chimiques. Vous pouvez vous procurer dans les papeteries des gaines protectrices en caoutchouc pour les doigts, si vous devez manipuler de grosses quantités de papier contaminé.

L'état général de santé

Si vous ressentez une fatigue oculaire, c'est peut-être parce que vous fumez trop et que vous vous nourrissez mal. Ces mauvaises habitudes ne produisent parfois des effets toxiques qu'après plusieurs années, tout en vous rendant vulnérable à d'autres troubles. Leurs effets peuvent, par exemple, se conjuguer à ceux de l'air vicié ou d'un milieu bourré de produits chimiques (vêtements, nourriture, mobilier).

Les personnes dont l'état général de santé est moins bon souffrent plus rapidement et plus gravement des polluants atmosphériques, intérieurs et extérieurs.

Une absorption quotidienne de vitamines B, C et E en quantités suffisantes atténue certains symptômes de tension tels que l'insomnie, la nervosité, les étourdissements et l'irritabilité. Assurez-vous que vous prenez la dose prescrite pour une personne de votre âge et de votre condition physique en consultant votre généraliste.

Voir Les nausées

Les étourdissements

Lorsque vous avez l'impression que tout bouge autour de vous alors que vous gardez les yeux ouverts, vous avez le vertige, lequel peut être accompagné de nausées s'il est grave. Il arrive que les muscles oculaires verticaux en soient la cause mais, en général, il s'agit d'un problème de santé.

Si les étourdissements se produisent uniquement lorsque vous vous livrez à un travail qui fait appel à votre vision rapprochée, faites examiner vos yeux. Vous y voyez peut-être mal. Il est également possible que vos muscles oculaires présentent une difformité. Si le problème se présente à d'autres moments, faites examiner vos oreilles.

Vous pouvez aussi souffrir d'hypotension ou d'hypoglycémie. Des ultrasons peuvent provoquer des vertiges. Si vos étourdissements sont considérés par votre médecin comme le symptôme d'une maladie systémique chronique, vous devriez envisager de cesser de travailler devant un terminal à écran.

Un nombre excessif de personnes enfermées dans une pièce mal ventilée exhale suffisamment de gaz carbonique pour provoquer chez certains des étourdissements.

Les gaz d'échappement des automobiles ainsi que la fumée de tabac provoquent parfois des étourdissements.

Voir L'état général de santé

L'examen de la vue

Si vous utilisez votre T.E.V. plus d'une heure par jour, un examen annuel de la vue est recommandé. Si vous portez des lunettes, vous devrez les faire adapter à l'évolution de votre vue par la même occasion. La fréquence des examens doit doubler si vous souffrez de troubles oculaires précis et chroniques. Puisqu'ils sont en rapport avec votre emploi, les examens devraient avoir lieu pendant les heures de travail.

Les examens auxquels sont soumises les personnes qui travaillent devant des T.E.V. sont souvent effectués à 33 cm (13 pouces) de distance, ce qui est plus fatigant pour l'oeil que les 40 cm (16 pouces) que l'on doit respecter lorsqu'on lit un document. Certains troubles inapparents de la vue sont ainsi plus facilement décelables.

Votre ophtalmologiste devrait vérifier la coordination musculaire des deux yeux, en vous faisant regarder vers le haut, vers le bas et droit devant.

Mentionnez tout problème physique ou psychologique que vous pouvez avoir, sans oublier de fournir la liste des médicaments que vous prenez. Certains rendent plus sensibles à la lumière, d'autres peuvent provoquer la cataracte si leur administration se prolonge. D'autres encore peuvent engendrer des rougeurs ou vous donner l'impression que vous voyez flou. Certains produits influent sur votre faculté de focaliser. Les généralistes, pharmaciens et certains optométristes possèdent une publication annuelle, appelée le *C.P.S.*, qui fournit une liste des médicaments et de leurs effets secondaires.

Mentionnez au médecin tout problème héréditaire. Si votre famille est prédisposée au glaucome, n'achetez pas de collyre vendu sans ordonnance pour blanchir vos yeux rougis.

Si, à des distances rapprochées, vos yeux ont tendance à présenter un strabisme convergent, des lunettes spéciales pour travail devant un T.E.V. pourront se révéler nécessaires, notamment si vous êtes légèrement hypermétrope. Les deux yeux doivent se rapprocher en une manoeuvre de convergence pour distinguer un objet distant de moins de 6 m (20 pieds). Les deux champs de vision se chevauchent. L'hyperconvergence signifie que le chevauchement s'accomplit d'une manière forcée et que les images de chaque champ de vision ne correspondent pas exactement les unes aux autres. Elles paraissent ainsi floues.

Demandez à votre spécialiste de rechercher des différences de perception de la profondeur, avec et sans vos lunettes.

Si vous avez un problème irrésolu de mise au point ou de mauvaise coordination musculaire, attendez-vous à des ennuis lorsque vous commencerez à travailler devant un T.E.V. Cependant, un trouble oculaire déjà existant peut demeurer totalement distinct des troubles futurs qui risquent d'apparaître, vous incitant à tort à blâmer votre T.E.V.

Les optométristes peuvent corriger certains problèmes de la vue et des muscles oculaires à l'aide de verres ou d'exercices. Les ophtalmologistes remédient aux troubles plus graves grâce à des interventions chirurgicales.

Les personnes borgnes peuvent travailler sans problème devant un T.E.V. Il est même préférable de n'avoir qu'un seul oeil en bon état de marche plutôt que deux yeux mal coordonnés. En effet, si vos yeux sont mal coordonnés (ce qui signifie qu'ils ne se "croisent" qu'occasionnellement), la suppression quasi totale de la vision d'un oeil devient une solution souhaitable. Certaines personnes peuvent le faire sans ressentir d'effets désagréables et cela vaut mieux que la fatigue créée par le fonctionnement simultané des deux yeux. Je vous recommande de subir une évaluation chez un optométriste.

Si vous avez l'impression que votre myopie s'aggrave alors que vous pensiez qu'elle s'était stabilisée, il est possible que vous soyez atteint de pseudo-myopie, provoquée par un spasme musculaire. Une lecture rapprochée pendant une période prolongée est responsable de ce fait, même si les caractères sont clairs et très faciles à lire.

Lorsqu'on travaille devant un T.E.V., une concentration élevée s'impose et les caractères flous sont plus désagréables à lire sur un écran que sur une page imprimée. Le mécanisme d'accommodation se transforme plus aisément en spasme, provoquant une pseudo-myopie prématurée. Il s'agit en général d'un phénomène réversible. Prenez de fréquentes pauses pendant lesquelles vous vous efforcerez de regarder des objets éloignés d'au moins 6 m (20 pieds). Procurez-vous des lunettes spécialement fabriquées pour ce type de travail, dont les verres sont conçus pour la distance exacte entre vos yeux et l'écran.

Une plus grande fatigue oculaire se produit en général pendant les trois à six premières semaines de travail devant un T.E.V. L'assèchement des yeux et les maux de tête s'atténuent habituellement durant cette période d'adaptation.

Portez des verres prescrits pour votre travail, si un problème précis mais mineur apparaît; l'hypermétropie et les problèmes musculaires en sont les deux principales formes.

Si vous avez de la difficulté à focaliser lorsque vous regardez à des distances différentes, faites vérifier votre temps de convergence et votre temps d'accommodation.

Plus l'écran est proche des yeux, plus vous risquez de ressentir une fatigue oculaire si vous avez déjà un problème musculaire. Une lumière trop faible risque de vous obliger à vous rapprocher de l'écran.

Si l'examen révèle que vous avez un problème de vue, votre spécialiste déterminera le moment de son apparition, sa durée, son intensité et sa fréquence.

Certaines personnes présentent de légères aberrations visuelles qui ne les gênent pas ordinairement mais qui peuvent être aggravées par la lecture rapprochée ou une fatigue oculaire.

Vous devriez savoir avec exactitude quelle est votre perception des couleurs. Vous devriez également savoir si l'un de vos yeux souffre d'une tension intra-oculaire excessive, qui peut être un signe précurseur du glaucome. Seul un ophtalmologiste peut procéder à cet examen.

Si vous clignez insuffisamment des yeux et si vous avez tendance à regarder fixement, vos yeux risquent de s'assécher; cela provoque alors des démangeaisons. Les optométristes qui posent des lentilles de contact connaissent ce problème et conseillent en général au patient des exercices pour l'encourager à cligner plus souvent des yeux.

La fatigue oculaire

Des problèmes de vision irrésolus ainsi que l'éblouissement sont les deux principales causes de la fatigue oculaire. Le trouble s'aggrave à mesure que l'on exige plus de ses yeux sur le plan de la brillance et du détail.

Si vous avez entre quinze et quarante ans et si vous souffrez de fatigue oculaire accompagnée de céphalées, réclamez un examen de convergence. Pour savoir si vous avez réellement besoin d'être examiné, tenez un crayon, sur lequel des lettres sont inscrites, à 10 cm (4 pouces) de vos yeux pendant 10 secondes. Si vous voyez les lettres se dédoubler ou si vous ressentez des nausées, ce qui arrive à certaines personnes, il est temps de consulter un ophtalmologiste.

Une fatigue oculaire qui ne semble pas avoir d'explication raisonnable est peut-être causée par une anomalie du mouvement conjugué (linéaire) des yeux. Certains médecins ont accès à un appareil qui permet de vérifier si tel est votre cas. Un exercice visuel peut vous soulager. Celui-ci consiste à suivre des yeux un objet qui se déplace rapidement (comme cela se passe lorsque vous regardez un jeu vidéo à la télévision).

Lorsque votre fatigue oculaire est excessive, il est possible que le médecin décide de vérifier si vous souffrez d'ésophorie, soit de surconvergence anormale, au début et à la fin de votre journée de travail. Un autre examen est nécessaire au bout de trois semaines car il s'agit en général d'un phénomène passager. Les temps d'accommodation et de convergence peuvent également varier au fur et à mesure que la journée avance. La fréquence de vos clignements peut être une autre variable.

Si votre vue devient floue, occasionnellement et par intermittence, c'est peut-être parce que votre mécanisme d'accommodation a été "déclenché" pour diverses raisons: une "brillance" excessive, destinée à accroître le contraste tandis que les lettres sont déjà bien illuminées, une tension électrique instable, qui fait "flotter" les images, le reflet de sources de lumière entre les deux surfaces de l'écran, le fait de pouvoir distinguer les points qui forment des caractères.

L'examen médical

Si vous présentez des symptômes vagues, faites évaluer votre condition physique et votre endurance. Un examen médical en bonne et due forme s'impose si votre capacité de travail ou votre résistance à la fatigue diminuent, de même que votre productivité.

Essayez de remarquer si vos activités extérieures au travail, autant physiques qu'intellectuelles, sont touchées par vos problèmes professionnels.

Il convient de vérifier la flexibilité de vos doigts et votre coordination main/oeil. La nutrition est une variable tout aussi importante de votre condition physique.

Si vous vous ennuyez rapidement, si vous perdez de l'intérêt pour le travail et ne vous sentez pas motivé, il se peut que votre problème ne soit pas d'ordre physique. Surtout si le repos n'élimine pas la fatigue et si votre lassitude et votre insatisfaction demeurent toujours présentes.

Voir L'état général de santé

Les exercices

Si vous vous sentez fatigué d'être demeuré trop longtemps assis, déplacez vos muscles. Laissez tomber votre tête sur la poitrine et tournez-la de chaque côté. Tortillez vos épaules, haussez-les, faites-les remuer dans leurs articulations. Levez-vous, étirez vos jambes, Contractez avec force les muscles de l'estomac.

Si vous devez prendre un objet tout en demeurant assis, ne courbez pas la colonne vertébrale en avant, mais utilisez tout le tronc, à partir des hanches.

Regarder fixement devant soi est une cause de tension. L'effort de maintenir les yeux immobiles, ou presque, peut être plus fatigant que celui de les déplacer. Cela empire si l'oeil ne regarde pas droit devant lui. La tête doit toujours être tournée de manière à vous permettre de regarder droit devant vous. Vous devriez parfois cligner des yeux, les faire bouger, d'un côté puis de l'autre, de haut en bas, regarder votre nez puis focaliser un objet aussi éloigné que possible.

Il est bon de bouger la colonne vertébrale toutes les six minutes. Laissez-vous aller en arrière et étirez-vous toutes les heures.

Voici un exercice oculaire: toutes les cinq ou dix minutes, regardez à 6 m (20 pieds) au moins devant vous pendant cinq minutes. Puis, fermez les yeux pendant trois à cinq secondes enfin, clignez rapidement des yeux pendant une ou deux secondes.

Les heures d'utilisation

Travailler longtemps devant un T.E.V. accroît les problèmes de tension psychologique, de vue et de fatigue musculaire. Lorsque vous avez beaucoup de travail, notamment s'il s'agit d'un travail répétitif ou d'une tâche qui exige beaucoup de votre vue, tous ces problèmes risquent d'être aggravés.

Le temps idéal d'utilisation d'un T.E.V. serait de 4 heures par jour au maximum, entrecoupées de 15 minutes de pause par heure. Pendant la pause, il faudrait se livrer à des activités entièrement différentes.

Si vous travaillez 8 heures devant un T.E.V., vous aurez trois fois plus de problèmes oculaires qu'une personne qui ne travaille que 2 heures. D'autres troubles, tels que les céphalées, les maux de dos, l'irritabilité et le sommeil perturbé, seront d'autant plus prononcés.

En outre, vous risquez de souffrir de troubles psychologiques issus de l'ennui et de l'absence de relations humaines.

Les écrans à couleur unique sont moins fatigants pour les yeux que ceux qui sont dotés de plusieurs couleurs floues. Par conséquent, on peut y travailler plus longtemps.

Si vous n'avez pas le choix et devez absolument demeurer devant votre écran jusqu'au moment de vous en retourner chez vous en conduisant de nuit, votre vue n'aura jamais le temps de s'adapter à l'obscurité. Ce processus exige entre 20 minutes et 2 heures. Vers la fin de votre journée de travail, vous pourriez poser un filtre rouge sur l'écran et recouvrir toutes les lumières de la pièce de voiles rouges ou les remplacer par des ampoules rouges. N'utilisez surtout pas de lampes à infrarouges! La lumière rouge permet à la période d'adaptation à l'obscurité de se dérouler normalement, mais ce n'est pas une couleur de travail confortable. Ampoules et filtres rouges sont vendus dans les magasins de matériel photographique.

Voir Les périodes de repos

L'humidité

Dans la plupart des bureaux, l'humidité relative est trop basse. Les muqueuses du nez, de la gorge et des yeux s'assèchent et s'irritent. De légères particules de poussière (les "déchets" atmosphériques) flottent facilement dans l'air sec et peuvent se combiner à d'autres particules, gaz ou gouttelettes, pour aggraver la situation. Les courants d'air concentrent les particules dans certaines parties de la pièce.

S'il est impossible d'élever le degré d'humidité, évitez de vous installer dans les parties les plus chaudes du bureau et de porter des vêtements en fibres synthétiques (qui accumulent l'électricité statique). Une casserole d'eau posée sur un radiateur en marche favorise une plus grande humidité de l'air.

La plupart des gens se contentent d'une humidité relative de 40 pour 100 à 50 pour 100 lorsque la température est de 20°C (70°F), mais d'autres préfèrent un degré d'humidité de 70 pour 100.

Une humidité excessive provoque un épuisement rapide. En outre, c'est le terrain rêvé pour la prolifération des bactéries. Le papier gonfle en libérant des produits chimiques qui contaminent les doigts. Un déshumidificateur est alors nécessaire, notamment pendant les mois les plus chauds.

C'est avec un hygromètre que l'on mesure l'humidité relative. On en trouve dans les pharmacies et les magasins de matériel médical.

Voir La chaleur
Le champ d'électricité statique

Les ions positifs

Si vous êtes sensible aux changements de température, aux orages imminents, par exemple, qui modifient votre état, provoquant des douleurs dans les articulations ou de la somnolence, cela signifie que vous réagissez aux modifications qui se produisent parmi les ions de l'air qui vous entoure. Il se peut que votre temps de réflexe soit ralenti.

Certaines personnes sont indifférentes à l'excès d'ions positifs ou négatifs dans l'atmosphère. D'autres sont indifférentes à un excès d'ions négatifs mais sont gênées par un excès d'ions positifs, qui les rend irritables.

Les moquettes et les tapis en fibres synthétiques absorbent les ions négatifs, de même que les appareils électriques. Lorsque les ions positifs sont en majorité, la lenteur, les maux de tête, la tension, la baisse de productivité en résultent. Des bâtiments scellés, trop bien isolés, climatisés peuvent manquer d'ions négatifs. Les aérosols (désodorisants d'atmosphère) peuvent détruire les ions négatifs. Un ionisateur peut remédier à la situation, mais il ne fait qu'élever la teneur de l'air en ions négatifs sans élever la teneur en oxygène ou abaisser celle en oxyde de carbone et autres polluants atmosphériques.

Les T.E.V. ont tendance à attirer les ions négatifs environnants vers leurs écrans, laissant les ions positifs s'accrocher à vos vêtements et à votre visage. Il est donc préférable de placer le générateur d'ions négatifs derrière l'opérateur ou juste à côté de lui.

Voir Le champ d'électricité statique

Les ions négatifs se combinent avec n'importe quelles particules de polluant atmosphérique; par conséquent, il est possible que tout ce qui se trouve à proximité du générateur d'ions négatifs revête une apparence souillée. Vous devrez peut-être alors adapter un filtre au conduit d'arrivée de l'air. On peut également penser à un purificateur d'air.

Les orages électriques libèrent des ions dans l'atmosphère, provoquant ainsi une sensation de bien-être.

Voir Les climatiseurs

Les lentilles de contact

Les T.E.V. produisent de la chaleur. Si votre bureau présente un degré d'humidité trop bas tout en étant mal aéré, ces deux facteurs combinés peuvent assécher vos yeux et rendre les lentilles inconfortables. Les lentilles ultraminces sont plus sensibles que les autres.

Demandez à votre ophtalmologiste de vérifier le temps de "réaction" de votre pellicule lacrymale. S'il est trop faible; vous pourriez reprendre vos vieilles lunettes pour travailler devant votre écran. S'il n'est que modérément faible, il est possible que le médecin vous suggère de vous administrer quelques gouttes de collyre apaisant avant de poser vos lentilles. Si vous refusez de remplir vos yeux d'un produit chimique supplémentaire, vous avez la possibilité de retirer passagèrement les lentilles. Nettoyez-les et placez-les dans leur solution pendant les pauses, notamment après six heures de travail continu. Si vous portez des lentilles souples, perméables aux gaz, du type qu'il est possible de porter pendant une période prolongée, vous n'avez qu'à ajouter deux ou trois gouttes de solution saline ou de rinçage sans même les retirer. Essayez de cligner des yeux six à huit fois si vous commencez à ressentir un certain inconfort alors qu'il vous est impossible non seulement de retirer vos lentilles quelques instants mais encore de vous administrer des gouttes de solution saline.

Sous les lentilles souples, de petits coins secs peuvent se créer, dans les pièces chauffées, surtout lorsque des dépôts de protéines ou d'autres matières s'y trouvent déjà. Si les produits utilisés pour enlever les protéines n'irritent pas vos yeux, recourez-y un peu plus souvent que prescrit (deux fois par semaine). Si vous constatez une rougeur, demandez à votre optométriste de vous prescrire une autre méthode d'enlèvement des dépôts de protéines. Il vous suggérera de remplacer plus souvent vos lentilles si les dépôts deviennent trop fréquents.

Si vous clignez moins souvent des yeux, il est possible que vos lentilles s'assèchent, laissant les dépôts grossir.

Si vous avez des problèmes, remplacez vos lentilles par des lunettes ou portez-les moins longtemps. Par exemple, vous pouvez les retirer à l'heure du déjeuner et le soir, lorsque vous restez à la maison. N'oubliez jamais de les enlever une heure avant d'aller vous coucher. Il convient également de ne pas les porter du tout pendant au moins une demi-journée par semaine.

Si vos lentilles de contact ne corrigent pas entièrement votre astigmatisme, il est préférable de ne pas les porter lorsque vous travaillez devant un écran, surtout quand les lettres affichées sont vertes. Un léger astigmatisme non corrigé peut, beaucoup plus qu'un astigmatisme prononcé, accroître la tension à laquelle les yeux sont soumis.

Utilisez des appareils de récupération de la poussière, que l'on appelle des "purificateurs d'air", dans les pièces où vous travaillez. Un grain de poussière qui se glisse derrière une lentille de contact peut provoquer une réaction bien plus déplaisante que lorsqu'il se dépose sur un oeil nu, d'où il est facilement chassé. Les purificateurs, que l'on trouve dans les magasins d'appareils électriques, sont utiles pour éliminer le pollen et certains gaz, mais la fumée de tabac n'est pas véritablement filtrée car ses particules sont en général trop petites pour être interceptées.

Voir Les problèmes oculaires

Le lieu de travail

L'endroit où vous travaillez doit pouvoir être confortable pour des personnes de stature et d'ossature différentes. Il doit également permettre de vous adapter aux modifications de votre environnement.

N'installez pas un T.E.V. dans un endroit conçu pour contenir une machine à écrire. Ce n'est pas parce que le terminal est portatif qu'il peut être installé n'importe où. L'éclairage, le mobilier, la proximité d'autres appareils entrent en ligne de compte.

Même si les caractères sont lisibles, de bonne taille et de couleur agréable, même si le clavier est fonctionnel, la hauteur des éléments peut vous causer des problèmes. La hauteur du pupitre, de votre chaise et du lutrin devrait être réglable. L'écran devrait être plus haut que le clavier, à une hauteur commode pour la lecture des caractères.

Conservez vos documents de référence à proximité de l'écran, de manière à éviter de trop bouger les yeux ou la tête.

Vous devez pouvoir procéder à divers réglages sans avoir à allonger les bras. Les personnes d'un certain âge, qui auront besoin, sous peu, de lunettes de lecture, préféreront s'installer un peu plus loin de l'écran.

Si vous pouvez choisir la couleur, des lettres pâles, d'un vert jaunâtre sur un fond d'un vert plus sombre ou presque noir, sont agréables à l'oeil. Si vous désirez un contraste plus soutenu, choisissez du blanc sur du noir. Cependant, de nombreux opérateurs estiment qu'un contraste excessif provoque une fatigue oculaire.

Essayez de remarquer si le contraste négatif (lettres sombres sur fond brillant) vous permet de travailler plus longtemps avant de ressentir de la fatigue. Le scintillement est-il plus accentué? (Bien que la fréquence d'images doive être de 70 Hz au moins et, de préférence, égale à 90 Hz.) Le contraste négatif est efficace lorsque l'opérateur doit ordinairement porter des lunettes de lecture, car le rétrécissement subséquent de la pupille accroît la profondeur de champ. C'est également une solution judicieuse pour des personnes qui doivent continuellement focaliser des objets qui se trouvent à des distances variables.

Si vous essayez de réduire l'éblouissement en vaporisant une solution qui donne un fini mat ou en plaçant des filtres polarisants, vérifiez dans quelle mesure le contraste entre les lettres et le fond se trouve atténué. La vaporisation se fait souvent de manière inégale. La poussière, les marques de doigts et les traînées de détergents diminuent la lisibilité des caractères.

Voir L'éblouissement

Des lettres noires sur fond blanc s'avèrent efficaces lorsque l'éclairage de la pièce est faible. Les caractères blancs sur fond noir conviennent davantage dans ces circonstances. Lorsque l'éclairage est excessif, les caractères noirs sur fond blanc sont les plus agréables à lire.

Si le document imprimé est de mauvaise qualité, augmentez l'éclairage.

Voir L'éclairage

Moins il y a de couleurs sur un écran, plus il est facile à l'oeil de bien les distinguer. Choisissez des couleurs très différentes, telles que le vert et le marron, plutôt que le vert clair et le vert foncé.

Les lettres vertes sont acceptables, mais les lettres jaunes sont préférables. Le rouge et le bleu sont des couleurs inconfortables. Des lettres d'un vert vif peuvent fatiguer les yeux. Si vous travaillez plus de trois heures consécutives, l'orange risque d'être encore plus difficile à supporter. Si vous utilisez votre terminal toute la journée, le blanc et le noir représentent la combinaison de couleurs la plus appropriée.

Voici la meilleure position de travail: avant-bras et cuisses parallèles au sol (l'arrière des cuisses ne doit pas s'appuyer sur le rebord de la chaise, ce qui signifie que vous ne devez pas vous asseoir à l'extrémité de la chaise), pieds posés sur le sol et non pendants, dos appuyé contre le dossier, yeux regardant légèrement vers le bas, comme si vous lisiez un livre. Le document doit être placé au même niveau que l'écran, de manière à ce que les mouvements de la tête soient horizontaux et non verticaux. Toute position qu'il faut conserver pendant une période prolongée est fatigante. De temps à autre, vous devriez vous étirer afin d'assouplir vos muscles.

Votre chaise est l'élément le plus important de votre confort. Si plusieurs personnes utilisent la même chaise, celle-ci doit être facilement réglable. Il faut qu'elle soit rembourrée, dépourvue d'angles peu confortables. Même le dossier doit être rembourré. Il serait commode de pouvoir vous pencher en arrière, le cas échéant. Les chaises à cinq pieds munis de roulettes sont les meilleures car il est presque impossible de les renverser. Ne choisissez pas une chaise pivotante. Des appuie-pieds réglables peuvent être utiles s'ils ne sont pas trop encombrants.

Si vous utilisez un lutrin, il doit être assez robuste pour vous permettre d'effectuer des corrections sur le document, de le signer ou d'apposer un cachet.

Votre pupitre devrait être assez grand pour vous permettre de disposer tout autour de vous les documents dont vous avez besoin. Accolez deux pupitres le cas échéant. Cependant, l'épaisseur de la table doit être aussi faible que possible (mesurez-la en la prenant entre le pouce et l'index), de manière à laisser à vos jambes le plus d'espace possible.

Une personne qui fait un travail fastidieux en gardant constamment la même position, les yeux fixés sur des détails, a besoin de pauses plus longues et plus fréquentes.

L'ennui en vient à affecter la vue (les yeux qui sont trop longtemps fixés sur des détails répétitifs finissent par vouloir s'en éloigner), provoquant des problèmes oculaires qui n'ont pas d'autre cause.

Il serait judicieux de regrouper les appareils de manière à ce que chaque opérateur puisse regarder au-delà du lieu de travail immédiat, à 6 m (20 pieds) au moins.

Lorsque les employés sont entassés dans un espace de travail insuffisant, cela engendre du stress, lequel peut s'aggraver si les opérateurs sont face à face, au sein de petits groupes.

Avant d'installer un T.E.V., prenez en considération les facteurs suivants: les fenêtres orientées vers le sud représentent la pire source d'éblouissement. Une pièce exposée au nord convient mieux. Placez le T.E.V. entre les sources de lumière de la pièce, par exemple entre deux fenêtres. Ne vous asseyez jamais face à une fenêtre lorsque vous travaillez devant un T.E.V. Une fenêtre située derrière vous est une source d'éblouissement. Éloignez au maximum le T.E.V. des fenêtres.

Les T.E.V. peuvent être mieux orientés dans des pièces éclairées artificiellement. Il est souhaitable de consulter un éclairagiste avant d'installer le nouveau matériel.

Si vous n'aimez pas vous asseoir dans les premières rangées au cinéma, c'est probablement parce que vous ressentez une fatigue oculaire lorsque vous êtes obligé de lire ou de regarder des détails en levant les yeux. Auquel cas, votre écran de terminal devrait être placé aussi bas que possible, tout en demeurant à une hauteur confortable.

L'angle de l'écran d'un T.E.V. devrait être d'au moins 10° et, de préférence, de 20° au-dessous d'un plan horizontal imaginaire qui s'étendrait à partir de vos yeux lorsque vous regardez droit devant vous. Un angle de 30° à 40° peut être préférable si vous avez des problèmes de position du corps. Lorsque vous installez le clavier, l'écran et le document imprimé, essayez de retrouver la position que vous adoptez normalement lorsque vous lisez un livre. Ne dépassez pas 40° en dessous du niveau des yeux (cet angle s'applique à l'extrémité supérieure de l'écran), sinon vous risqueriez de créer de l'ombre.

Un écran trop petit provoque la fatigue oculaire car les caractères sont soit trop petits, soit trop serrés. Ceux-ci devraient avoir une hauteur de 4,50 mm (3/16 pouce) au moins. Leur largeur idéale doit être égale aux trois quarts de leur hauteur. L'espace entre chaque caractère devrait correspondre à la moitié de leur hauteur. Quant aux interlignes, il devraient être égaux à la hauteur des caractères ou avoir une fois et demie leur hauteur.

Vous pouvez utiliser des lettres majuscules ou minuscules mais, si vous le pouvez, utilisez des majuscules. Les yeux les interprètent plus facilement.

Le clavier devrait être beige ou gris. Les touches des fonctions spéciales devraient être de couleur afin d'être plus facilement repérées.

Si votre vue est normale ou totalement corrigée, la distance idéale entre vos yeux et l'écran est de 47,5 cm (19 pouces).

Une équipe spécialisée dans la bureautique devrait se réunir régulièrement.

Si vous désirez de plus amples renseignements, adressez-vous au Centre canadien de la santé et de la sécurité du travail, 250, Main Street est, Hamilton (Ontario), L8N 1H6; tél.: (416) 527-6590.

Les lunettes

La distance idéale entre l'écran et vos yeux est de 45 à 50 cm (18 à 20 pouces). Elle doit être maintenue à l'intérieur de ces limites, si vous avez trente-cinq ans ou plus. Cela signifie que tous les caractères imprimés dont vous avez besoin au cours de votre travail doivent être placés à cette distance de vos yeux.

Placez les documents imprimés sur un lutrin, à égale distance de vos yeux par rapport à l'écran. De nos jours, les lutrins que l'on utilise pour poser les livres de recettes sont les plus commodes. Si vous *devez absolument* poser vos documents à plat, mettez les lignes en évidence à l'aide d'une ou deux règles.

Les personnes jeunes n'éprouvent en général aucune sensation désagréable en regardant des objets situés à des distances variables. Cependant, tout le monde devrait respecter la fourchette de 30 à 70 cm (12 à 28 pouces) entre le texte et le clavier. Des lunettes spécialement conçues pour la vision rapprochée sont généralement nécessaires passé quarante ans, mais les opérateurs de T.E.V. préfèrent en porter dès l'âge de trente-cinq ans.

Si vous travaillez toute la journée devant un T.E.V., vous aurez peut-être besoin de lunettes spécialement conçues à cet effet, notamment si vous avez plus de trente-cinq ans. Mesurez la distance à partir de la racine du nez jusqu'à l'écran, ainsi que la distance de la racine du nez jusqu'à tout autre objet ou surface que vous devez regarder au cours de la journée de travail. Indiquez ces mesures à votre spécialiste lors de votre prochain examen.

Si vous portez des lunettes à double foyer, sur lesquelles la ligne de démarcation entre les foyers est très nette (on prescrit en général aux opérateurs de T.E.V. des lunettes dont la ligne de démarcation est invisible), vous devrez vous procurer des lunettes différentes que vous porterez le reste du temps car la ligne de démarcation est trop haute et risque alors de vous gêner. Vous avez également la possibilité d'acheter des verres qui se superposent provisoirement aux autres.

Votre spécialiste sait que l'amplitude d'accommodation devrait être d'au moins 6 dioptries si vous travaillez devant un T.E.V. sans porter de lunettes.

Si les documents imprimés se trouvent à 40 cm (16 pouces) tandis que l'écran est à 50 cm (20 pouces), des lunettes à triple foyer seront peut-être nécessaires. En l'occurrence, la partie inférieure est réservée au texte ou au clavier, la partie médiane sert à regarder l'écran, tandis que la partie supérieure permet de regarder à distance. En général, lorsque vous portez des triples foyers, la distance idéale de l'écran est de 50 cm (20 pouces) ou plus. Car plus vous vieillirez (surtout si vous avez dépassé quarante ans), plus vous désirerez accroître cette distance.

Des lunettes à triple foyer fabriquées sur mesure seraient idéales mais elles sont très coûteuses. Parfois, des lunettes à double foyer à démarcation progressive et invisible peuvent s'avérer très efficaces, mais uniquement si les verres sont très larges. Cela signifie que vous devrez limiter votre choix à quelques marques et vous contenter de montures de grande taille.

Les lunettes à double et à triple foyers doivent être assez larges pour minimiser les mouvements de la tête. Si vous devez régulièrement lire des caractères minuscules placés à une distance inhabituelle, un petit foyer supplémentaire, conçu dans l'espace pertinent pour la distance exacte, pourrait être ajouté à vos lunettes de travail.

Les lunettes à double foyer portées continuellement (pas uniquement au travail) sont ordinairement conçues pour une distance de lecture trop rapprochée (30 à 40 cm, soit 12 à 16 pouces) pour que vous puissiez vous en servir lorsque vous travaillez devant un T.E.V., duquel vous devriez être éloigné de 48 à 76 cm (19 à 30 pouces). Plus vous vieillirez, plus il deviendra difficile de rapprocher ou d'éloigner un document tout en continuant à le lire avec vos lunettes de lecture.

Les personnes âgées de cinquante-cinq ans et plus ont peut-être besoin de lunettes à double foyer, dont le foyer supérieur permet de focaliser l'écran et le texte imprimé, tandis que le foyer inférieur permet de focaliser le clavier.

Votre ophtalmologiste désirera peut-être réduire votre "surplus" de 0,50 à 0,75 dioptrie si vous êtes emmétrope (vous voyez parfaitement de loin sans lunettes) ou portez déjà des lunettes à double foyer. Des lunettes du type "cadre supérieur" ou à ligne de démarcation invisible sont parfois utiles, mais elles présentent des inconvénients qui varient selon la vision de base du patient, selon son âge, ses antécédents en matière de port de double foyer et sa tolérance aux distorsions visuelles causées par les lentilles.

Si vous regardez plus souvent le clavier que l'écran, votre double foyer doit être conçu en conséquence.

Des lunettes à double foyer devraient vous permettre de lire des caractères situés au niveau des yeux ou légèrement au-dessus, sans que vous ayez à allonger le cou ou à étirer la colonne vertébrale. La ligne de démarcation risquera alors de vous gêner quand vous aurez cessé de travailler devant votre T.E.V. Si vous n'utilisez qu'occasionnellement le terminal et devez étirer le cou ou le dos pour vous servir du clavier, évitez de vous retrouver dans cette position le reste du temps. Ainsi, assoyez-vous au balcon lorsque vous allez au théâtre, ou pliez un journal avant de le lire. Ces instructions sont particulièrement pertinentes si vous êtes une personne de petite taille ou si vos bras sont plutôt courts.

Si les doubles foyers ne sont pas correctement placés, vous finirez par ressentir une fatigue dans le cou, à force de tenir le menton relevé. Appliquez de la chaleur sur la partie douloureuse du cou et procurez-vous de nouvelles lunettes à double foyer ou des verres spécialement conçus pour le travail devant un T.E.V. Vous devriez pouvoir lire des caractères situés à n'importe quel niveau de l'écran sans étirer le cou ni la colonne vertébrale, en particulier si vous êtes de petite taille.

Si vous devez regarder fréquemment d'un côté ou de l'autre, il est possible que les doubles foyers à démarcation invisible exigent trop de mouvements de la tête. Telles qu'elles sont actuellement conçues, ces lunettes ne laissent qu'un champ de vision latérale très restreint, par rapport aux autres types de lunettes à double foyer. Les lunettes idéales devraient être dotées de foyers très larges, de manière à ce que les yeux puissent regarder légèrement vers le bas, et non droit devant.

Ne portez pas de lunettes de soleil pour vous protéger contre l'éblouissement causé par la pièce ou le terminal.

En ce qui concerne les lentilles teintées, les personnes qui ont tendance à souffrir de l'éblouissement apprécient certaines nuances telles que "Tonelite n° 1" et "Softlite n° 2", certains revêtements à nuance variable (bruns, surtout) et antireflets. Toutes ces teintes diminuent la quantité de lumière ultraviolette qui pénètre dans les yeux. Pour une distorsion minimale des couleurs, notamment si vous êtes daltonien, je vous recommande de choisir une nuance grise. Un revêtement antireflets appliqué sur un verre teinté peut être prescrit. Il existe des nuances, telles que le brun, qui accentuent les contrastes.

Chaque teinte absorbe la lumière et les autres rayonnements à sa manière. Il n'existe pas de nuance idéale. Vous devez savoir quel élément de votre entourage représente une menace pour votre vue et vous procurer des lunettes d'une teinte qui l'élimine ou réduit ses effets.

Les lunettes qui tamisent la brillance globale ou réduisent la quantité de lumière ultraviolette (ou les deux) sont disponibles avec des lentilles en verre ou en plastique. Si vous souffrez d'une érosion récurrente de la cornée ou avez déjà été atteint d'herpès oculaire, vos lunettes devraient être teintées ou revêtues de manière à filtrer les ultraviolets.

Les lentilles de verre au plomb filtrent les rayons X. Ces lunettes ressemblent à des lunettes ordinaires mais elles sont plus lourdes. Le plomb est utilisé dans la fabrication des vitres des centrales nucléaires et des laboratoires radiologiques. Le verre de plomb est toutefois très réfléchissant, ce qui nécessite l'application d'un revêtement antireflets.

Mieux vaut poser un filtre sur le matériel pour limiter l'éblouissement que porter des lunettes excessivement teintées. Cependant, méfiez-vous de l'éblouissement supplémentaire, causé par le dédoublement de l'image, que ce filtre peut causer sur l'écran. Les écrans à surface rugueuse sont préférables aux filtres à micromailles qui réduisent la brillance globale.

Les personnes qui travaillent assises devant un pupitre aiment que leurs lunettes soient éloignées de leur front. En revanche, lorsque vous êtes assis devant un T.E.V., votre vision risque d'être gênée par la partie supérieure de la monture.

Si votre cornée ou votre cristallin présentent des opacités graves, les lunettes n'amélioreront en rien la situation et vous trouverez épuisant de travailler devant un T.E.V. Si vous avez un défaut oculaire qui se manifeste dans les 20 degrés centraux du champ de vision de votre oeil dominant, vous devriez renoncer à travailler devant un T.E.V. Les lunettes ne remédieront pas à la situation.

Les personnes dont l'astigmatisme atteint 2,00 dioptries ou plus ne devraient pas non plus travailler devant un T.E.V. car, en général, les caractères de petite taille leur paraissent flous. Les opérateurs astigmates devraient utiliser un écran brillant assorti de caractères sombres, dans une pièce plus brillamment éclairée que cela est d'ordinaire recommandé pour ce type de travail.

Si vous pouvez placer tout votre matériel de travail à égale distance de vos yeux, la fatigue oculaire peut être soulagée par des lunettes spécialement conçues pour cette distance. Cependant, vos yeux doivent être minutieusement examinés pour que soit décelé tout autre trouble éventuel. Lorsqu'on porte ce genre de lunettes, il faut que le document, le clavier et l'écran soient équidistants des yeux. Si vous avez besoin de verres très puissants, cette méthode est peut-être la solution à vos problèmes.

Toutes les lunettes de verre devraient être en verre trempé pour des raisons de sécurité. On appelle d'ailleurs ce verre, "verre de sécurité".

Les lunettes de verre sont lourdes sur le nez et ont tendance à glisser. Choisissez donc du plastique, à moins que vous ne désiriez des lunettes à nuance variable, qui passent de l'incolore au brun très foncé lorsqu'elles sont exposées à la lumière ultraviolette. Il est possible de se procurer des lentilles à nuance variable de plastique, mais leur temps de réaction est plus lent et la gamme des teintes plus restreinte. En outre, on doit y ajouter une autre teinte permanente, de manière à éliminer la dominante bleue. Si vous portez des lentilles de plastique, vous devrez choisir entre un revêtement antireflets et un revêtement antiéraflures. La combinaison des deux n'est pas encore disponible sur le marché. Les éraflures d'une lentille jouent le même rôle que des fentes dans un miroir: elles reflètent plus de lumière que le reste de la surface.

Si vous portez constamment des lunettes, souvenez-vous que les lentilles teintées risquent de poser des problèmes lorsque vous conduisez de nuit, même si elles vous soulagent dans votre travail devant un T.E.V. En particulier, si vous avez passé la journée devant un écran brillant et vous en retournez chez vous en conduisant dans l'obscurité, les conséquences peuvent être graves car vous n'aurez pas récupéré votre faculté d'adaptation à l'obscurité, processus qui prend entre vingt minutes et deux heures.

Il arrive que des exercices de la vue plutôt que des lunettes permettent de résoudre les problèmes oculaires tels que l'incapacité de fixer les yeux sur un point.

Si vous réglez vos problèmes oculaires, vous devriez pouvoir lire comme d'habitude le soir après être rentré du travail.

Les manuels

L'Association canadienne de normalisation (ACNOR) dispose de données qui ne se trouvent peut-être pas dans le manuel d'utilisation de votre T.E.V. Le Centre canadien de la sécurité et de l'hygiène du travail détient des informations sur les lignes de conduite, les règlements et les accords, notamment en ce qui concerne le rayonnement. Pour de plus amples renseignements, adressez-vous au ministère du Travail de votre province ou à la Division de la sécurité et de l'hygiène du travail du ministère canadien du Travail. Vous pouvez en outre consulter votre bibliothécaire ou le représentant syndical.

Le matériel électrique doit être approuvé par l'organisme national, soit L'ACNOR. Chaque province édicte ses propres règlements à propos des T.E.V., mais la sécurité des appareils électriques relève de l'ACNOR.

Jetez un coup d'oeil sur les manuels d'utilisation rédigés par les autres compagnies afin de vérifier si votre matériel a passé des tests concernant un nombre supérieur ou inférieur de dangers éventuels. Cherchez à savoir si les normes minimales ou maximales sont respectées.

Cependant, il ne suffit pas que les normes soient établies; il convient de s'assurer de quelle façon elles peuvent être mises en vigueur et respectées en permanence. Une technologie de contrôle parfaitement à jour est nécessaire. Il convient de s'interroger sur la possibilité d'utiliser des matériaux moins dangereux. Les syndicats devraient travailler en collaboration avec les organismes chargés de la réglementation et les fabricants afin d'améliorer le matériel. Les personnes qui utilisent des T.E.V. devraient pouvoir exprimer leurs préoccupations, leurs problèmes et leurs scrupules à leurs syndicats ou, si elles ne sont pas syndiquées, aux organismes chargés de la réglementation. (Voir les noms d'organismes susmentionnés.)

Les manuels d'utilisation devraient préciser si les T.E.V. peuvent présenter des modifications de leurs caractéristiques lorsqu'ils sont installés à proximité d'autres appareils de bureau, tels que les photocopieurs, les dictaphones, les micro-ordinateurs, les systèmes électroniques de classement et les machines à écrire électriques.

Les manuels devraient faire état de la température et du degré d'humidité auxquels les résultats des expériences ont été obtenus. Il est préférable que le moment de la journée soit également mentionné, ainsi que la durée de fonctionnement du T.E.V. (Par exemple, l'appareil fonctionnait-il depuis cinq minutes ou cinq jours lorsque les expériences ont été entreprises?) Les qualifications des responsables des expériences, de même que leur nom et l'étalonnage de leurs instruments sont importants.

Idéalement, vous devriez pouvoir connaître les limites d'exposition à tout rayonnement ou à toute pollution connus, ainsi que les risques que vous courez à la suite d'une surexposition. Vérifiez si ces limites ont été fixées par des organismes médicaux ou gouvernementaux. Posez la question aux autorités fédérales de la santé et à celles des hôpitaux.

Les normes devraient être périodiquement mises à jour ou renouvelées le cas échéant.

Vous devriez savoir qui joindre en cas de défaillance de votre T.E.V. Il vous faudra peut-être obtenir la permission de débrancher l'appareil jusqu'à la fin des réparations. Utilisez un autre appareil ou livrez-vous à une tâche différente jusqu'à ce que tout soit redevenu normal.

Voir Les normes
Les normes relatives aux limites d'exposition

Le matériel d'évaluation

Quelle est la pertinence du matériel d'évaluation? Ne permet-il d'évaluer les problèmes que lorsque ceux-ci ont dépassé une certaine ampleur? Quelle est son rapport avec les fréquences? Est-il correctement étalonné? Les évaluateurs doivent disposer de compteurs capables de détecter une bande étalée de radiofréquences, et non une bande étroite.

Le matériel sert-il à évaluer les ondes courtes, les micro-ondes, les champs à extrêmement basse fréquence (E.L.F.), le champ éloigné ou le champ rapproché? Si les mesures sont prises trop près de la source, à 5 cm (2 pouces) par exemple, lorsque la longueur d'onde est de 7 cm (3 pouces), il est possible que les résultats ne soient pas valides.

Des mesures prises à 30 cm, 1 m 80 et 6 m (12 pouces, 6 pieds et 20 pieds) peuvent donner des résultats différents, même s'il s'agit simplement de répondre par "oui" ou par "non" à une question, notamment en ce qui concerne les grandes longueurs d'ondes. En outre, au fur et à mesure que le matériel vieillit, le rayonnement et les champs émis peuvent se modifier.

Les vérifications doivent être effectuées de chaque côté du T.E.V., de même qu'au bas de l'appareil qui est le plus proche des parties génitales de l'opérateur assis devant le clavier.

On doit procéder régulièrement aux mêmes évaluations, dans des conditions identiques, par exemple à une heure donnée, lorsque les autres appareils électriques et les autres lumières fonctionnent normalement. Si tous les appareils situés dans une zone sont la plupart du temps en marche en même temps chaque jour, les évaluations doivent être faites dans ces conditions.

Souvenez-vous que les mesures doivent être effectuées lorsque l'écran est rempli de caractères choisis au hasard, la brillance étant réglée au maximum.

Les évaluations devraient avoir lieu pendant les heures de travail, dans les conditions de travail, tandis que les climatiseurs et les ascenseurs sont en marche. Si un appareil fonctionne 24 heures sur 24, cinq jours par semaine, il doit être évalué non seulement après avoir été allumé mais aussi à intervalles réguliers par la suite.

Chaque appareil utilisé doit être évalué, et non un seul appareil représentatif d'un groupe.

Il est indispensable d'évaluer à plusieurs reprises le même appareil. Les relevés devraient montrer une relation entre eux. Si les résultats présentent des écarts significatifs, il convient alors de prendre d'autres mesures plus précises. Le mauvais fonctionnement d'un appareil doit être décelé le plus rapidement possible.

Les T.E.V. doivent être évalués dans des "conditions de panne", soit lorsque la puissance qui traverse le tube cathodique est à son maximum. L'appareil tombe généralement en panne au bout de 30 secondes; c'est alors que les vérifications doivent être effectuées. Cependant, une alimentation électrique auxiliaire peut prévenir la défaillance de l'appareil, malgré la surcharge. Si l'écran est rempli de caractères à ce moment-là, une libération de rayons, rapide et de courte durée, peut se produire.

L'évaluation doit être faite par des techniciens qualifiés et les résultats interprétés par des personnes compétentes.

Les évaluateurs ne doivent être recrutés ni par le fabricant des appareils ni par la direction, sinon il y aurait conflit d'intérêts. La meilleure solution consiste à favoriser la collaboration du syndicat avec la direction, le gouvernement jouant le rôle de médiateur. Les données recueillies doivent tenir compte des recommandations des employés.

Il convient de vérifier les émissions de radiations tout en analysant les conditions de travail. Les facteurs physiques, psychologiques et sociaux devraient être considérés. Les résultats des évaluations doivent être soumis aux employés, dans une langue simple, accompagnés de renseignements sur la formation et les qualifications de l'évaluateur. Les données devraient être fiables. Une courte période pendant la journée de travail ne suffit pas pour entreprendre l'évaluation.

Les unités de mesure utilisées par l'évaluateur devraient être conformes à une norme de base. Il ne faut pas recourir à différentes unités de mesure pour le même type d'évaluation.

Il est bon de vérifier les appareils loués.

La plupart des évaluations de sécurité sont destinées à prouver que le problème *n'existe pas*. Elles ne tiennent pas compte des dangers qui peuvent naître occasionnellement, par exemple dans des "conditions de panne".

Certains instruments ne sont pas assez précis pour fournir des relevés fiables. Pourtant, ils devraient être sensibles à de faibles émissions de radiations. Méfiez-vous des instruments qui établissent une moyenne de *toutes* les fréquences d'une gamme ou d'un rayonnement.

Les évaluations doivent, si possible, être faites dans une zone isolée, puis ces résultats doivent être comparés à ceux qui sont obtenus lorsque les radiations de fond sont présentes dans un espace libre. Vous remarquerez que les radiations à extrêmement basse fréquence ne peuvent être détectées que lorsqu'elles sont isolées des radiations de fond. Il faudrait comparer le degré de radiations "ambiant" aux radiations relevées à environ 5 cm (2 pouces) du T.E.V.

La direction générale de la protection de la santé, de Santé et Bien-être Canada, recrute des inspecteurs qui vérifient les dispositifs émetteurs de radiations.

Assurez-vous que la totalité du spectre électromagnétique est évaluée, car les micro-ondes peuvent accroître les rayons X tandis que les ondes hertziennes influent sur les radiations ultraviolettes. Les ondes électromagnétiques (ondes E.M.) se combinent avec les ondes E.M. qui proviennent des autres appareils électriques en marche.

Comme je l'ai mentionné plus haut, cette interaction n'est pas seulement la somme de leurs effets conjugués. Vérifiez les émissions de champs à extrêmement basse fréquence (E.L.F.). En outre, il convient de détecter toute fuite de BPC. Les ingénieurs chimistes se chargent de cette vérification.

Voir Les biphényls polychlorés (BPC)

Les "champs électriques" ne constituent pas un rayonnement.

Éteindre puis rallumer fréquemment l'appareil n'accroît pas la quantité de rayons X qui est émise, malgré ce que pensent certaines personnes. Cependant, vous devriez être informé de *tout* rayonnement émis non seulement lorsque l'appareil est en marche mais aussi lorsqu'il est éteint.

Les maux de tête

Lorsque vous maintenez les yeux trop longtemps fixés droit devant vous, les muscles du cou se raidissent et peuvent donner naissance à une douleur derrière la tête.

Certains maux de tête sont causés par une accommodation soutenue, à savoir l'effort de garder les yeux fixés sur un objet unique et rapproché. Il faut que vous puissiez regarder de temps en temps à 6 m (20 pieds) au moins devant vous.

Il arrive que les maux de tête soient provoqués par un éclairage excessif. Éteignez quelques lumières. Si vos céphalées résultent d'un éblouissement incontrôlable, faites poser un écran antiéblouissement ou vaporisez un revêtement antireflets sur l'écran.

Les ultrasons qui proviennent du T.E.V. peuvent donner des maux de tête, accompagnés parfois de bourdonnements dans les oreilles. Un sonomètre peut vous permettre d'en mesurer l'intensité. Les fabricants parviennent à éliminer ces ultrasons; aussi, lisez attentivement les documents qui sont joints à chaque terminal que vous louez ou achetez.

Si un environnement scellé contient de nombreux contaminants, ceux-ci peuvent se conjuguer pour vous donner parfois des maux de tête. Aérez la pièce dès que vous sentez que la douleur est sur le point de faire surface.

L'habitude de fumer, un régime alimentaire insuffisant et le manque de sommeil peuvent augmenter la fréquence des maux de tête.

Des problèmes oculaires non corrigés, tels que l'astigmatisme (mise au point inégale), l'hypermétropie (mauvaise convergence des rayons lumineux) et la presbytie (réduction de la vision rapprochée après quarante ans) provoquent des céphalées après quelques minutes de lecture. Des problèmes de muscles oculaires ou de sinus auront peut-être des effets identiques.

Si vous souffrez d'une mauvaise coordination des muscles oculaires, il est possible que votre vision éloignée ne soit pas atteinte. Cependant, le déséquilibre risque d'être plus prononcé d'un côté que de l'autre, et engendrera des maux de tête. Déplacez le document imprimé afin de trouver l'orientation qui vous paraît la plus confortable. Demandez à votre spécialiste de vérifier votre coordination musculaire dans les positions oculaires que vous êtes obligé de conserver longtemps.

Une fatigue oculaire (les mots se chevauchent, les caractères deviennent flous ou se dédoublent) alliée à des céphalées est souvent provoquée, si vous avez entre quinze et quarante ans, par une convergence insuffisante. La convergence est nécessaire pour regarder tout ce qui est entre 6 m (20 pieds) et 10 cm (4 pouces) des yeux. Certaines personnes sont incapables de faire converger longtemps leurs yeux. Une mauvaise santé, une fatigue ou une lassitude générale, ainsi que l'absorption de certains produits pharmaceutiques (tels que des pilules contraceptives) peuvent aggraver ce problème.

Les personnes qui souffrent d'une convergence insuffisante ont souvent les yeux rouges. Tentez l'expérience: si vous portez déjà des lunettes adéquates et que vous ne réussissiez pas à focaliser un objet situé entre votre distance de lecture habituelle et 10 cm (4 pouces) de vos yeux sans que l'objet se dédouble tandis que vous le déplacez lentement, c'est que votre convergence est insuffisante. Des exercices oculaires peuvent vous soulager, notamment ceux qui vous obligent à focaliser de petits caractères que vous rapprochez de plus en plus de votre visage jusqu'à ce qu'ils deviennent flous et se dédoublent. Votre optométriste peut vous aider à cet égard.

Les personnes dont la vision binoculaire est mauvaise (il s'agit de la vision normale lorsque les deux yeux regardent la même chose en même temps) ont tendance à souffrir davantage de l'éblouissement, ce qui peut provoquer des maux de tête. Les douleurs associées à la fatigue oculaire portent le nom d'asthénopie et peuvent être déclenchées par des facteurs autres que l'utilisation d'un T.E.V. Par exemple, des problèmes psychologiques ou des allergies peuvent favoriser l'asthénopie.

N'oublions pas non plus les conditions météorologiques, la forme physique, l'obésité, la tension psychologique, les irritants tels que les parfums, la fumée de tabac et les produits de nettoyage.

Les personnes qui souffrent de migraines ne devraient pas avoir de problèmes liés à la vision binoculaire. Cependant, elles sont plus sensibles à l'éblouissement et il se peut que des verres teintés soient nécessaires dans leurs cas. Chez certaines d'entre elles, la pupille demeure dilatée une bonne partie du temps, les empêchant de limiter la quantité de lumière qui pénètre dans l'oeil.

On sait que les micro-ondes provoquent des céphalées si elles sont dirigées vers un individu pendant une période prolongée. Si vous vivez près d'une zone de radio ou de télédiffusion, ou près d'une installation radar (un aéroport, par exemple), vous vous trouvez dans le champ de rayonnement des micro-ondes. La lumière solaire émet également quelques micro-ondes. Un écran de métal peut les intercepter.

L'hypertension et l'hypotension entraînent souvent des maux de tête.

Si vous avez mal à la tête au réveil, il faut consulter votre médecin.

Le lien principal entre l'opérateur et l'écran étant les yeux, on leur associe souvent à tort tous les problèmes de santé qui s'y présentent. Par exemple, on peut réagir à la présence d'un gaz ou de particules irritantes dans l'atmosphère par la tension psychologique, suivie d'une irritation des yeux, du nez et de la gorge. Les yeux étant utilisés consciemment, ils sont les premiers à ressentir les effets des polluants.

Les nausées

Les nausées qui n'ont pas de causes précises, telles qu'une infection ou des troubles gastriques, peuvent être provoquées par des produits pharmaceutiques et des poisons, ainsi que par la tension, la dépression et une personnalité névrotique (anxieuse). Si vous ressentez régulièrement des nausées au travail, notez l'heure et le lieu. Consultez votre médecin si vous ne parvenez pas à en découvrir la cause.

De nombreux produits chimiques et pharmaceutiques ont des effets secondaires qui comprennent les nausées. Il est possible qu'une fuite de formaldéhyde dans l'air en soit la cause.

Le gaz carbonique et l'oxyde de carbone, notamment les produits de la combustion qui proviennent des tuyaux d'échappement, engendrent des nausées. La fumée de tabac contient de l'oxyde de carbone.

Voir L'examen de la vue
L'état général de santé

Les normes

Les normes relatives à la santé et à la pollution au lieu de travail sont-elles à peine respectées ou carrément transgressées? Chaque danger qui vous préoccupe fait-il l'objet de normes?

Pour qui les normes sont-elles établies? En général, pour un jeune adulte de sexe masculin en excellente santé. Il est rare que les lignes de conduite soient élaborées avec la participation des personnes auxquelles elles s'adressent. En général, elles proviennent de résultats obtenus en laboratoire, dans des conditions bien déterminées.

S'il existe une clinique de la santé au travail dans votre quartier, demandez conseil à son personnel ou apportez-lui des échantillons d'air, avec le consentement de votre syndicat ou de votre patron.

Voir Les maux de tête
Les manuels
Les normes relatives aux limites d'exposition

Les normes relatives aux limites d'exposition

Nombreux sont les organismes et les personnes qui établissent des limites d'exposition: le gouvernement, la direction des entreprises, les syndicats, les autorités médicales.

Les normes officiellement en vigueur au Canada sont élaborées par des comités et précisées par les organismes nationaux de normalisation qui acceptent d'entreprendre les expériences, dont les résultats sont ensuite soumis au Conseil canadien des normes. Le gouvernement peut donner à ces normes force de loi, à tous les échelons. Les normes étrangères et internationales sont prises en considération. L'adresse du Conseil canadien des normes est la suivante: Conseil canadien des normes, Service d'information sur les normes, n° 1210, 350, rue Sparks, Ottawa (Ontario), K1R 7S8; tél.: (613) 238-3222.

Des normes non officielles peuvent être arbitrairement fixées dans un laboratoire et dans des conditions déterminées, sans rapport avec un milieu de travail ordinaire.

Les ondes radioélectriques et les champs à extrêmement basse fréquence (E.L.F.)

On détecte parfois des ondes hertziennes, ou radioélectriques, ainsi que des champs à extrêmement basse fréquence (E.L.F.) à l'extérieur de la gaine qui abrite les éléments et les circuits du T.E.V. Ces ondes doivent absolument être interceptées. Elles constituent un type de rayonnement. Il existe maintenant des écrans de fines mailles que l'on peut poser autour du terminal pour intercepter les signaux de radiofréquence (R.F.) — mais non les champs d'E.L.F. — efficacement et à bon marché.

Il n'existe pas encore de normes d'exposition maximale bien qu'on accepte actuellement 60 volts/mètre en ce qui concerne la bande de radiofréquence, jusqu'à un maximum de 10 kHz. On mesure le bruit de fond des ondes de radiofréquence à l'aide d'un analyseur de brouillage. Il existe différents types d'instruments, de sensibilité variable.

Les champs électriques et magnétiques devraient être analysés séparément, dans le “champ rapproché”, soit jusqu'à 30 cm (12 pouces) de l'appareil. On doit utiliser un analyseur du spectre de radiofréquence avec l'aide d'une antenne de détection du champ magnétique (afin de détecter le champ de radiofréquence). La totalité de la surface du terminal doit être évaluée, à 5 cm (2 pouces) de distance, puis à 1 m (3 pieds) de distance.

Les champs magnétiques

Les champs magnétiques créés par les T.E.V. sont plus puissants que ceux que l'on rencontre dans la nature. Ils sont également plus puissants que ceux qui sont produits par un écran de télévision couleur. Ils peuvent avoir pour effet d'attirer les particules atmosphériques irritantes vers les yeux.

Il n'existe pas de protection connue contre les champs magnétiques. Par conséquent, tout ce que vous pouvez faire, pour le moment, c'est de filtrer constamment l'air ambiant. Répartir les tâches entre deux personnes qui travailleraient l'une après l'autre devant le T.E.V. serait une autre solution possible.

Des dispositifs spéciaux de détection sont nécessaires pour mesurer les champs d'E.L.F., y compris la répétition d'impulsions entre 15 et 30 Hz d'émissions de fréquence supérieure. Le détecteur de champ magnétique polarisé non linéaire est difficile à trouver et très compliqué à fabriquer. Certaines facultés de physique en possèdent. Si vous avez de la difficulté à en obtenir un, renseignez-vous auprès de l'Association planétaire pour l'énergie propre. (Son secrétariat est situé au 77, rue Metcalfe, bureau 607A, Ottawa (Ontario), K1P 5L6; tél.: (613) 236-6268.)

Le taux d'absorption des ondes de R.F. varie selon les personnes.

Il a été prouvé que les champs électromagnétiques de R.F., s'ils sont très puissants, pouvaient endommager les cellules vivantes. En outre, certaines expériences ont soulevé la possibilité d'une interaction avec le système nerveux et avec des activités au niveau cellulaire lorsque le champ magnétique d'E.L.F. était d'une force moyenne ou très basse. La fatigue oculaire, les céphalées et les nausées peuvent résulter de cette interaction, de même que l'anxiété et l'hyperactivité.

Les lits et les couvertures chauffés électriquement vous exposent à un rayonnement électromagnétique. Si vous travaillez dans un milieu dont la charge radioactive est très élevée pendant la journée, réglez votre couverture chauffante à la puissance minimale le soir.

Si vous habitez près d'une station de radio qui émet 24 heures sur 24, vous recevez constamment des rayons électromagnétiques.

Les champs énergétiques à basse fréquence ne sont pas absorbés par le corps. Leur rayonnement se poursuit rarement à plus de 1 m (3 pieds) de l'appareil. De toute façon, vous êtes exposé à des champs à basse fréquence même lorsque vous êtes en plein air.

Voir Les radiations

Les paupières

La lourdeur des paupières

La lourdeur des paupières est généralement le signe d'un manque de sommeil ou d'une fatigue excessive. Si une seule paupière vous paraît lourde, consultez votre médecin. Les paupières enflées sont ordinairement lourdes.

Les mouvements convulsifs des paupières

La cause habituelle de ces mouvements est la combinaison d'une situation de tension et d'une absorption excessive de caféine. On ne trouve pas seulement la caféine dans le café mais aussi dans le thé, le chocolat, les boissons à base de cola et certains médicaments tels que les analgésiques qui soulagent les maux de tête et les remèdes contre le rhume.

En général, seule une paupière présente ces mouvements convulsifs, toujours la même. Si vous constatez que les deux se mettent à papilloter, parlez-en à votre médecin.

Les périodes de repos

Lorsque vous travaillez devant un T.E.V., les périodes de repos doivent être comprises dans la journée rémunérée de travail. Elles varient et sont généralement fixées par les syndicats. *Ne renoncez pas* à votre période de repos afin de quitter le bureau plus tôt!

Dix minutes de pause par heure de travail devant le T.E.V. représentent une période de repos minimale, sans compter les pauses aux heures des repas, si votre travail exige beaucoup de votre vue (par exemple, si vous regardez constamment des groupes de chiffres). Si votre tâche devant le T.E.V. est "ordinaire", quinze minutes toutes les deux heures sont acceptables.

Idéalement, il faudrait cesser de travailler devant le T.E.V. trente minutes avant de quitter le bureau. Lorsque vos yeux sont exposés toute la journée à une lumière brillante, ils ont besoin d'un intervalle pour s'adapter à une lumière plus faible, et surtout lorsque vous devez conduire de nuit.

Si vous sentez que vous avez besoin de pauses plus fréquentes bien qu'il vous soit impossible de les prendre, essayez de regarder au loin plus souvent, ou fermez les yeux en imaginant que vous regardez des montagnes, des nuages ou la mer.

La fatigue et l'ennui n'apparaissent pas au même moment pour tout le monde. Par conséquent, les pauses devraient être adaptées aux besoins de chacun. Déterminez le degré de votre fatigue au bout de la journée, puis au bout de la semaine. La plupart des gens déclarent qu'ils sont fatigués le lundi, le vendredi et surtout le matin. Tout le monde s'attend à être fatigué à la fin de la journée; c'est pourquoi rares sont ceux qui prêtent attention à cette fatigue. Pourtant, une petite pause avant la dernière heure de travail devant le T.E.V. pourrait la soulager.

Pendant une période de repos, vous devriez vous éloigner de votre terminal et faire de l'exercice, regarder au loin, boire de l'eau (notamment si votre milieu de travail est plutôt sec). Faites quelque chose qui n'a aucun rapport avec votre travail de tous les jours devant le T.E.V.

Voir Les heures d'utilisation

Les photocopieurs

Les photocopieurs émettent de l'ozone, à la suite de quoi les yeux, le nez, la bouche et la gorge peuvent devenir irrités, provoquant de la toux. Le matériel électrique peut également libérer de l'ozone, qui est le principal élément du brouillard enfumé, ou "smog", qui pollue l'air extérieur.

La limite maximale de pollution par l'ozone est de quatre-vingts parties par million (p.p.m.) Lorsqu'on atteint 100 p.p.m., une odeur douceâtre, qui rappelle celle du bord de la mer, envahit la pièce. Une dose excessive d'ozone dans l'atmosphère peut piquer les yeux et aggraver des problèmes respiratoires. Les asthmatiques réagissent par une crise. Si la pièce est également polluée par l'amiante, les deux polluants se combinent. Par conséquent, vérifiez les carreaux du plafond et les conduits de ventilation. La pièce a besoin d'être bien ventilée.

Ne vous installez pas trop près d'un photocopieur. S'il commence à émettre une odeur non déplaisante (telle que celle qui a été décrite ci-dessus), cela signifie qu'il doit être réparé ou remplacé. Une dose excessive d'ozone peut causer des maux de tête et provoquer de la somnolence.

On soupçonne l'agent utilisé pour donner la nuance des épreuves d'être cancérigène. Il contient du benzène et du toluène, ce qui peut vous porter à la somnolence, aux étourdissements et engendrer des maux de tête. Si vous êtes responsable de l'entretien de l'appareil et entrez en contact avec cet agent, portez des gants jetables que vous pouvez obtenir dans les pharmacies ou les magasins de fournitures médicales.

Les feuilles imprimées qui sortent d'un photocopieur peuvent renfermer des matières cancérigènes, de même que les récipients qui contiennent le révélateur et les sacs d'évacuation de l'agent qui donne la nuance. Tous ces produits chimiques peuvent être libérés dans l'air du bureau.

Si des points sombres apparaissent sur les photocopies, il est temps de faire réparer la machine.

Voir Les polluants atmosphériques

Les polluants atmosphériques

En général, les personnes en bonne santé sont moins susceptibles de ressentir les effets des polluants atmosphériques que celles qui se nourrissent mal et ne font pas suffisamment d'exercice. L'insomnie et les heures de travail supplémentaires peuvent également rendre les individus plus vulnérables.

Les polluants atmosphériques peuvent être présents lorsque des particules et des gaz circulent en circuit fermé dans un bâtiment scellé. Les pièces hermétiques permettent l'accumulation de polluants en provenance de meubles et de cloisons traités chimiquement, du matériel de bureau et de la fumée de tabac.

Les pièces dont les fenêtres s'ouvrent sur des parcs de stationnement très achalandés peuvent recevoir des particules et des gaz, notamment de l'oxyde de carbone, auquel cas les occupants risquent d'avoir les yeux gonflés et de souffrir de maux de tête.

Les biphényls polychlorés (BPC)

Faites vérifier la teneur de l'air en BPC (biphényls polychlorés), en ozone et en oxyde d'azote, en communiquant avec les organismes de santé et d'hygiène au travail, les syndicats, les compagnies fabricantes et Environnement Canada.

Pour ce qui est du matériel électrique, la loi exige que la teneur en BPC ne dépasse pas 50 parties par million, tandis que la quantité émise par jour ne doit pas dépasser 1 gramme. Les BPC sont également présents dans certains produits de papier bien qu'une réglementation à l'encontre de cette utilisation soit en cours d'élaboration. Les BPC peuvent causer le cancer, des troubles du système reproducteur et avoir des effets toxiques à long terme.

Voir Les biphényls polychlorés (BPC)

Le formaldéhyde

Les joints chimiques qui sont posés entre certains matériaux d'isolation et certaines cloisons, sans compter les colles utilisées pour sceller les meubles et les moquettes neuves, peuvent émettre en permanence du formaldéhyde, un produit chimique synthétique.

Le formaldéhyde est un gaz cancérogène qui s'accumule dans des bâtiments bien isolés, dans lesquels l'échange d'air est très rare. Les yeux, le nez et la bouche des occupants deviennent irrités. La personne exposée peut également souffrir de maux de tête, de nausées, d'éruptions cutanées et d'essoufflement.

Certains individus présentent une réaction allergique au formaldéhyde, surtout après une exposition prolongée. Quelques-uns deviennent plus sensibles aux effets d'autres produits chimiques après avoir été exposés au formaldéhyde.

D'autres produits peuvent contenir de petites quantités de formaldéhyde: les serviettes de papier, les teintures, les encres (et par conséquent les journaux, les livres, les magazines), les peintures, les vernis, les désodorisants, les dentifrices et les détergents, les vêtements qui ne nécessitent pas de repassage, la fumée de tabac. Si vous êtes déjà exposé à d'autres sources de formaldéhyde, il est possible que la quantité supplémentaire contenue dans ces objets provoque la réaction allergique. (Les mains commencent à vous démanger et certaines régions de la peau, telles que les paupières, deviennent gonflées et rouges.)

Si l'un de vos passe-temps exige l'utilisation de produits chimiques volatils dans une pièce peu aérée, vous êtes déjà vulnérable lorsque vous arrivez sur votre lieu de travail.

S'il est impossible de remplacer l'air vicié en ouvrant des fenêtres, la ventilation par dilution constitue une méthode peut-être applicable. L'air frais devrait être introduit, chassant l'air pollué à intervalles réguliers.

De petits dosimètres personnels, semblables à ceux que portent les personnes qui travaillent dans les laboratoires de radiologie, peuvent permettre de détecter les émissions de formaldéhyde. Les hygiénistes industriels vous les fournissent en vous demandant de les porter quelques heures. Ensuite, ils les renvoient au laboratoire pour analyse.

L'humidité

Une humidité excessive aggrave la pollution par les particules car elle leur permet de demeurer en suspension. Dans un bureau, de 40 pour 100 à 70 pour 100 d'humidité relative représente la fourchette normale. Vous pouvez essayer de rechercher le degré d'humidité qui vous semble le plus confortable, mais évitez les fluctuations importantes pendant les heures de travail. Plus la chaleur est élevée, plus l'humidité a de l'importance, notamment en hiver.

Voir L'humidité

Les polluants émis par les photocopieurs

Si un photocopieur se trouve dans un espace clos, l'ozone peut s'accumuler et alors irriter les yeux, le nez et la gorge des personnes voisines. Si vous êtes asthmatique, il est possible que vous commenciez à ahaner. Aérez immédiatement la pièce! Les photocopieurs et les vapeurs qu'ils émettent devraient être proches d'une bouche d'aération donnant sur l'extérieur.

Tout matériel électrique suffisamment puissant peut dégager de l'ozone. Ce gaz se dissipe en moins de quinze minutes après sa formation. Les fabricants peuvent parfois limiter la quantité d'ozone émise par leurs appareils, en général en y adaptant un filtre.

Voir Les photocopieurs

Les cires de meubles, les désodorisants corporels, les laques qui contiennent de la résine, les adhésifs et les produits de combustion des appareils de chauffage au gaz contribuent à la pollution atmosphérique. La combustion du charbon produit du soufre qui peut se combiner à l'oxygène pour produire une "pluie acide" intérieure qui ronge le mobilier et, parfois, les tissus pulmonaires. Les moteurs, l'encre et le papier peuvent libérer des produits chimiques et des vapeurs qui irritent les yeux.

Les problèmes oculaires

L'assèchement des yeux

Les personnes qui travaillent devant des T.E.V. ont tendance à cligner de moins en moins fréquemment des yeux, lesquels s'assèchent et deviennent la proie des irritations provoquées par les particules atmosphériques. Plus la fréquence des images est élevée, plus rares se font les clignements. Une page imprimée ne bouge pas, c'est pour cette raison qu'il n'est pas nécessaire de garder les yeux constamment ouverts pour éviter de laisser passer quelque chose d'important. Lorsqu'on entreprend une recherche, le défilement est trop rapide sur la majorité des écrans. Un taux de balayage vertical de 20 pour 100 par seconde serait idéal. Il est possible que vous soyez obligé de réduire la durée de port de vos lentilles de contact.

Tout effort intense de concentration réduit également la fréquence des clignements.

Certaines personnes clignent souvent des yeux mais le clignement n'est pas total, ce qui donne naissance à une petite rougeur dans un coin de la paupière.

À l'intérieur d'un T.E.V., la chaleur engendrée est de l'ordre de 100 à 500 watts. Si le degré d'humidité de la pièce est trop faible, cette chaleur, alliée à la chaleur normale et à toute pollution atmosphérique, risque d'aggraver l'assèchement des yeux. Les personnes âgées de plus de quarante ans, notamment les femmes, sont particulièrement vulnérables. L'arthrite peut aggraver un problème oculaire auparavant mineur car elle touche les muqueuses des yeux.

Les brûlures et picotements

La sensation de brûlure ou de picotement peut être provoquée par une insuffisance de sommeil, alliée à une consommation excessive d'alcool ou de tabac. Elle signifie peut-être aussi que vous avez besoin de lunettes. Les infections oculaires, la poussière, les allergies et l'assèchement des yeux peuvent être responsables de cette sensation. Les gaz d'échappement et les vapeurs émises par les photocopieurs en sont parfois la cause.

La bouche d'échappement de la chaleur devrait être située à 1,20 m (4 pieds) au moins de l'opérateur.

Si vos yeux demeurent secs, ou si l'air est fortement pollué, des larmes artificielles, vendues en pharmacie, peuvent vous soulager. Elles doivent en général être instillées à intervalles réguliers. Il est préférable de consulter votre ophtalmologiste, qui vous aidera à choisir parmi les différentes sortes. Il existe même des bandelettes lubrifiantes que l'on place à l'intérieur de la paupière inférieure afin d'humidifier les yeux pendant la journée de travail.

Habituellement, les clignements se produisent au rythme de 26 par minute. Chez une personne déprimée, le rythme peut être ralenti jusqu'à huit clignements par minute.

Les démangeaisons

Les démangeaisons oculaires peuvent être une réaction allergique. Les porteurs de lentilles de contact y sont prédisposés, car les solutions qu'ils utilisent pour nettoyer leurs lentilles créent parfois des allergies. En outre, il convient de s'assurer que les cosmétiques et les laques à cheveux ne sont pas la cause de ces malaises. Dans l'affirmative, il serait préférable de cesser de les utiliser ou de changer de marque.

Un assèchement excessif peut entraîner des démangeaisons oculaires. Il est possible que votre spécialiste vous prescrive des larmes artificielles. Malheureusement, les porteurs de lentilles de contact risquent de trouver cette solution inapplicable. Ils devront plutôt se livrer à des exercices de clignement et exiger un degré d'humidité plus élevé dans le bureau.

Les purificateurs d'air permettent d'éliminer de nombreux polluants qui sont responsables de l'irritation des yeux ainsi que des démangeaisons.

Les diurétiques et les agents antihistaminiques assèchent les yeux, provoquant donc des démangeaisons.

La sensation d'étirement du globe oculaire

Vous avez peut-être l'impression que vos globes oculaires veulent sortir de leurs orbites, ou s'efforcent de se tourner l'un vers l'autre. Si cette sensation apparaît après quelques minutes de lecture, elle signifie que vous avez besoin de verres pour corriger votre vue ou une mauvaise coordination des muscles oculaires, ou les deux.

Les personnes qui ont besoin de verres de lecture plus puissants se sentent soulagées dès qu'elles se trouvent dans une situation qui provoque le rétrécissement de la pupille. Il convient alors d'accroître les contrastes négatifs (lettres sombres sur fond clair). Méfiez-vous cependant du scintillement plus prononcé qui accompagne ce changement. La fréquence d'images devrait être de l'ordre de 70 à 100 Hz.

Les yeux douloureux

Si vous ressentez une certaine douleur lorsque vous appuyez la main sur vos yeux, il est possible que vous ayez une inflammation dans la région de la paupière supérieure. Consultez votre médecin. Les maux de tête et les problèmes de sinus peuvent également causer ce symptôme.

Voir La fatigue oculaire (*dans* L'examen de la vue)

Les yeux larmoyants

Les infections peuvent provoquer le larmoiement ou enrayer le mécanisme lacrymal. Les nausées et les lumières vives peuvent être également responsables du larmoiement. Chez les gens plus âgés (qui ont dépassé cinquante-cinq ans), le tonus musculaire des paupières diminue, empêchant les larmes de s'écouler correctement. Les réactions allergiques, les particules de polluants en suspension, l'obstruction d'un conduit lacrymal peuvent aussi être responsables de ce fait.

Si vous vous frottez les yeux avec des doigts contaminés, notamment après avoir touché à des photocopies, vous risquez de déclencher le larmoiement. Les vapeurs de produits chimiques émises dans une pièce insuffisamment ventilée, notamment lorsqu'elles ne sont pas décelables par l'odorat, devraient être considérées comme une cause possible du larmoiement.

Si votre bureau contient de nombreuses plantes vertes qui sont régulièrement aspergées d'agent antiparasitaire, les gouttelettes de produit qui demeurent temporairement en suspension, surtout dans une atmosphère plutôt humide, peuvent déclencher le larmoiement.

Les produits pharmaceutiques

Les médicaments qui provoquent des éruptions cutanées ou des démangeaisons, lorsque le patient s'expose à lumière solaire, peuvent causer des réactions semblables sous une lumière fluorescente et sous tout rayonnement ultraviolet qui émane de votre T.E.V. Si vous êtes exposé à la lumière ou au soleil qui pénètre par une fenêtre ouverte pendant une partie de la journée, en sus de la lumière fluorescente, l'effet peut être cumulatif et vous risquez d'absorber une dose excessive d'ultraviolets. (Une fenêtre fermée élimine les ultraviolets en provenance de l'extérieur.) Certains produits pharmaceutiques se retrouvent dans les savons, les shampooings, les teintures capillaires, les cosmétiques (notamment les parfums au musc) et les détergents qui n'ont pas été totalement éliminés au rinçage. D'autres produits sont absorbés oralement, tels que la tétracycline et certains diurétiques. Les médecins et les pharmaciens possèdent un registre, mis à jour tous les ans, des produits pharmaceutiques disponibles dans le commerce et de leurs effets secondaires. C'est le *C.P.S.*

Si vous absorbez des cyclamates, des diurétiques, des tranquillisants et des pilules contraceptives ainsi que des remèdes utilisés dans les cas de diabète, vous risquez d'être plus sensible à la lumière ultraviolette.

Les produits qui accroissent notre sensibilité aux ultraviolets (qui favorisent la photosensibilisation) sont les médicaments qui modifient l'humeur, tels que la phénothiazine, les stéroïdes et les médicaments anti-inflammatoires non stéroïdes qui sont administrés pour soulager les douleurs arthritiques.

Les produits photosensibilisateurs rendent les cellules vivantes plus susceptibles d'être blessées par une lumière habituellement inoffensive, car ils accroissent l'absorption des rayons.

Pour vérifier l'effet d'un produit sous la lumière ultraviolette ou fluorescente, asseyez-vous dans une pièce obscure pendant une heure, après avoir pris la dose prescrite de médicament, puis recommencez l'expérience (en respectant l'intervalle prescrit entre chaque dose) en demeurant une heure sous une lumière fluorescente, après avoir absorbé la même dose que précédemment.

Certains produits pharmaceutiques peuvent modifier la vitesse de déplacement des yeux, car ils affectent les douze muscles externes qui permettent de faire bouger le globe oculaire. Le mouvement coordonné de ces muscles nous empêche également de voir double. Les drogues peuvent modifier la taille des pupilles tout en ralentissant leur action. L'alcool provoque le même effet sur les pupilles que certains tranquillisants (Valium et Librium). La teneur du sang en alcool peut réduire la vitesse de mouvement des yeux de 20 pour 100 si elle atteint 80 mg pour 100 ml. L'effet est cumulatif si tranquillisants et alcool sont absorbés simultanément.

Si vos pupilles sont naturellement grandes ou si cela résulte de l'absorption de certains médicaments, des lentilles teintées réduiront la sensation d'éblouissement.

Le Valium aggrave la tendance à la fatigue oculaire.

La qualité de l'image

Tout problème relatif à la qualité de l'image peut provoquer de la fatigue oculaire. Il peut résulter d'une combinaison de plusieurs facteurs: la luminance, le contraste lumineux, la régénération de l'image exempte de scintillement, la chromaticité, la définition de l'image, la conception des caractères alphanumériques et les curseurs.

Votre vue peut se déformer soudainement, tout en demeurant relativement claire. Par exemple, si les lignes droites vous paraissent courbes ou si certains segments des caractères vous paraissent plus petits ou plus grands qu'ils ne le sont en réalité, vous souffrez d'un trouble grave et devriez consulter un médecin.

Il est possible que le T.E.V. ne soit responsable que d'une partie de votre fatigue oculaire. Ne le blâmez pas à tort. Il arrive que les caractères des autres sources ne soient pas assez clairs. Par exemple, si vous travaillez avec des photocopies de mauvaise qualité ou des copies au papier carbone. Les feuilles de papier glacé sont également à éviter. Il se peut que les lettres de votre clavier soient à demi effacées.

Les questionnaires et les enquêtes

Les questionnaires relatifs à la santé portent sur les problèmes oculaires, respiratoires et cutanés. Si vous ne présentez aucun trouble de ce type, on vous posera des questions sur votre état psychologique. Certaines questions concerneront vos habitudes sociales et personnelles. La tension peut être considérée comme souhaitable ou non, mais si quelqu'un estime qu'elle vous affecte trop, vous devrez répondre à des questions destinées à faire ressortir les aspects négatifs de la tension.

Méfiez-vous des questions subjectives ou chargées de sous-entendus, lesquelles risquent de porter sur les dépressions nerveuses ou les cauchemars. Répondez à de telles questions par la mention "S.O." ("sans objet") car elles ont généralement pour but de prouver que vos problèmes sont psychosomatiques.

Savez-vous si le questionnaire que vous remplissez sera traité de façon confidentielle?

Les radiations

Dans le cas où votre T.E.V. émet des radiations, il est probable qu'elles proviennent de la surface de l'écran. Les radiations sont alors diffusées dans toutes les directions. Certains appareils projettent plus de rayons par l'arrière et le dessus que par l'écran. Il existe maintenant des écrans de fines mailles que l'on peut poser autour du T.E.V. afin d'intercepter les signaux de radiofréquence (un type de radiation) efficacement et à bon marché.

Les personnes d'un certain âge qui ont été exposées toute leur vie à des doses excessives de radiations devraient se préoccuper de la situation. Il convient de savoir à quelle dose de radiation vous avez été exposé au cours des soins médicaux et dentaires. Il est possible que vous ayez été fortement exposé à des radiations de fond, par exemple si vous vivez près d'une centrale nucléaire ou électrique, près d'émetteurs d'ondes à hyperfréquence (U.H.F.) et à extrêmement basse fréquence (E.L.F.), près d'une zone de retombées provoquées par des essais d'armement nucléaire, près d'installations d'élimination des déchets nucléaires et d'installations radar.

Si vous voyagez beaucoup par avion, vous êtes soumis, dans les aéroports, au balayage par rayons X. Il est possible que vous travailliez avec un explorateur radar ou que vous ayez été radiographié à plusieurs reprises à l'hôpital. Ces instruments émettent des rayons X.

Si les occupants du bureau semblent souffrir sans raison apparente de maux de tête, de rougeurs et d'irritabilité oculaire, demandez aux ingénieurs de vérifier l'éclairage ordinaire de la pièce pour déterminer le rayonnement ultraviolet et infrarouge, toute la gamme des rayons X, les émissions de micro-ondes et le rayonnement à basse fréquence.

Les vérifications relatives aux champs électriques et à la pollution atmosphérique sont distinctes des vérifications qui portent sur les radiations.

Les écrans à affichage en couleur peuvent libérer des rayons X. L'intensité du rayonnement dépend de la puissance de la source (par exemple, si les caractères sont faiblement ou puissamment illuminés, ou si l'écran est grand ou petit) et de votre proximité.

Les rayons X peuvent être enfermés dans l'appareil. Le fabricant peut éviter qu'ils s'échappent à travers l'écran de verre en traitant cette pièce d'équipement à l'aide de substances métalliques. Un verre épais peut être efficace mais a tendance à provoquer l'éblouissement.

Les normes relatives à l'exposition aux rayons X (500 millirems par an) se rapportent aux radiations provoquées par l'humain et ne tiennent pas compte des radiations absorbées à des fins médicales, pas plus que de celles auxquelles on peut être exposé dans la vie de tous les jours. La plupart des T.E.V. émettent 0,1 millirem par heure, ou moins, de rayons X. À raison de six heures par jour, cinq jours par semaine, cinquante semaines par an, à 5 cm (2 pouces) de la surface de l'écran, la dose monterait à 150 millirems. Dès que l'on s'éloigne de plus de 5 cm (2 pouces) de la surface, les radiations décroissent proportionnellement.

Si votre appareil a fait l'objet d'une vérification, notez exactement sur quoi a porté l'expérience et pour quelle fréquence. Vous devez connaître le degré de rayonnement, la méthode utilisée pour déterminer les émissions et posséder une liste des risques d'une exposition excessive. Chaque fois que l'on procède à une vérification, il faut allumer l'appareil, remplir l'écran de caractères choisis au hasard et régler la brillance à l'intensité maximale.

Lorsque de nombreux appareils sont installés les uns près des autres, le rayonnement est multiplié.

Les micro-ondes sont engendrées par le matériel de radiodiffusion, les radars, les écrans de télévision et les fours. Si vous êtes déjà fortement exposé aux micro-ondes et souffrez de troubles cardiovasculaires, vous devriez limiter votre temps de travail devant un T.E.V.

Certains métiers exposent les personnes qui les pratiquent à des émissions supplémentaires de micro-ondes: c'est le cas des agents de bord, des pilotes, du personnel chargé des services alimentaires et des soins médicaux, des navigateurs radio, des radaristes. Toutes les sources éventuelles doivent être masquées et il faut vérifier la présence des rayons X indésirables. L'exposition chronique aux micro-ondes peut affaiblir l'action bactéricide de la peau et des larmes, offrant aux bactéries qui n'attendent que cela une chance de proliférer.

Les radiations ultraviolettes émises par le tube cathodique du T.E.V. sont absorbées par le verre de l'écran. Des radiations ultraviolettes de fond telles que celles qui sont émises par la lumière solaire sont normales. Elles nous apportent une dose de 200 millirems par an.

Les personnes qui sont employées dans les cabinets de chiropraticiens ou de dentistes devraient porter des dispositifs mobiles de mesure et utiliser le matériel de protection pertinent lorsqu'elles manipulent des appareils qui projettent des radiations. Tenez un journal de votre exposition aux radiations. Lorsque vous constatez que vous approchez de la limite qui a été établie pour vous, diminuez vos périodes d'exposition. Tous les dispositifs peuvent être obtenus auprès des fabricants de matériel radiologique. Laissez les vêtements contaminés sur le lieu de travail.

Les normes relatives à l'émission de rayons X sont de 2,5 millirems par heure. En ce qui concerne les ultraviolets, elles se situent à 10 milliwatts par centimètre carré. Les mesures devraient être prises dans la pièce, puis lorsque l'écran est vide. Ensuite, il convient de remplir celui-ci de caractères. On utilise pour ces mesures des compteurs de radiations ionisantes. La présence d'une deuxième source d'alimentation électrique peut accroître le rayonnement. Cependant, les effets se dissipent au fur et à mesure qu'on s'éloigne de l'appareil. Il est nécessaire de ramener le rayonnement au minimum. Nul degré d'exposition n'a été déterminé comme étant absolument sans danger. Il est impossible d'éliminer le rayonnement, quel que soit son type, mais rien ne prouve non plus qu'il devrait être éliminé.

Pour minimiser les radiations de fond, on peut masquer une pièce à l'aide de panneaux métalliques. En outre, il est plus facile de mesurer des radiations d'un degré très faible dans une pièce masquée.

C'est en général sur la surface extérieure d'un T.E.V. que l'on peut mesurer des radiations d'une haute intensité. À quelques centimètres de là, l'intensité décroît brusquement. Par conséquent, il est préférable de n'appuyer ni les bras ni les mains sur le dessus du terminal lorsqu'il est en marche. Toutefois, certains T.E.V. n'émettent aucune radiation à l'extérieur de leur gaine métallique.

Les radiations sont généralement mesurées à environ 30 cm (12 pouces) de la surface la plus proche.

Réduire la brillance de l'écran ne diminue que très légèrement l'intensité totale du rayonnement énergétique.

Plus la tension électrique qui est utilisée pour faire fonctionner l'écran est élevée, plus l'émission de rayons X est importante.

Les effets produits par les radiations sont cumulatifs.

Le taux d'affaiblissement en un point d'une source ponctuelle de rayonnement est égal à l'inverse du carré de la distance à partir de ce point. Cependant, l'intensité peut être différente en fonction du point de la source qui est choisi sur l'écran. Cela signifie que les mesures fournies par un fabricant ont été prises soit à partir d'un point, soit à partir de la moyenne de plusieurs points. La totalité de l'écran, et non un point unique, devrait pourtant être prise en considération.

Si vous utilisez des écrans au plomb, veillez à disposer de pièces de rechange car ce type d'écran se décolore en un an environ, en raison de l'absorption continue de rayons X.

Le rayonnement peut être accru par un défaut de fabrication, une défaillance de l'appareil, un mauvais entretien ou des problèmes d'alimentation électrique.

Les T.E.V. émettent dans la gamme des ondes à très basse fréquence (V.L.F.) modulées par impulsions (ce qui inclut les ondes de radiofréquence). Les champs d'E.L.F. sont également émis et peuvent être dangereux pour les cellules humaines.

Le blindage d'un T.E.V. est effectué à l'aide d'un matériau conducteur mis à la terre.

Si de nombreux moteurs électriques sont en marche autour de vous, voire à plusieurs étages de distance, vous recevez peut-être beaucoup d'ondes E.L.F.

La présence d'un champ d'E.L.F. est impossible à détecter. Cependant, certaines personnes sentent qu'il y a quelque chose d'anormal dans l'atmosphère sans pouvoir définir ce qui ne va pas.

Au fur et à mesure que le T.E.V. vieillit et que son blindage s'use ou perd de son efficacité, la dose de rayonnement émise par l'appareil fluctue. Les rayonnements non ionisants tels que les radiations ultraviolettes, infrarouges et les micro-ondes ne sont généralement pas émis à doses significatives par un T.E.V.

Les rayons X et les rayons gamma peuvent accroître les risques de cancer (de leucémie notamment). Soyez très prudent si les antécédents médicaux de votre famille comportent ce type de maladie. Les T.E.V. émettent des doses extrêmement faibles de rayons X. La mesure du rayonnement gamma peut démontrer la présence d'une radioactivité naturelle à l'intérieur du verre qui recouvre le terminal.

Si vous désirez réduire le rayonnement qui est émis autour de l'appareil, il est préférable d'utiliser une gaine de métal plutôt qu'une gaine de plastique.

Certains détecteurs de fumée contiennent des éléments faiblement radioactifs.

Il est possible que votre téléviseur couleur émette un rayonnement plus puissant que votre T.E.V.!

Voir Les maux de tête
Les champs magnétiques (*dans* Les ondes radioélectriques...)
Les affections oculaires causées par les radiations
Les ondes radioélectriques et les champs à extrêmement basse fréquence (E.L.F.)
Le radon (*dans* Le champ d'électricité statique)

La somnolence

Le maintien de la même position, le regard légèrement orienté vers le haut, le bruit monotone, une vitesse de travail régulière, un "paysage" environnant immuable, dans une pièce chauffée à outrance, tout cela contribue à engendrer la somnolence. Les personnes qui travaillent devant des T.E.V. sont la proie de toutes ces causes de la somnolence.

Si vous constatez que vous commencez à commettre des fautes de frappe et des erreurs mineures dues à l'inattention, assurez-vous que vous n'êtes pas en train de vous laisser aller vers un état de relaxation excessive, précurseur du sommeil. Si tel est le cas, prenez des pauses plus fréquentes, faites de l'exercice, livrez-vous à une activité entièrement différente de votre travail.

Les ultrasons ainsi que l'électricité statique, si elle est importante, peuvent provoquer la somnolence.

Les insomniaques et les personnes dont le sommeil est habituellement perturbé qui effectuent un travail monotone devant un T.E.V. peuvent se décontracter suffisamment pour sentir le sommeil les gagner.

Voir Le travail par équipes

La tension psychologique

Les symptômes d'une tension psychologique sont les suivants: étourdissements, trous de mémoire, insomnie, anxiété et irritabilité extrêmes. En apparence, ils ne semblent pas être associés au milieu de travail.

Une tension généralisée accroît la tension musculaire, notamment en ce qui concerne les muscles des yeux et du cou.

Ce ne sont pas tant les problèmes qui vous accablent (logement inadéquat, divorce, maladie dans la famille, recyclage professionnel) que la manière dont vous les percevez et dont vous réagissez qui peut provoquer la tension. La durée et la fréquence des situations génératrices de tension doivent être prises en considération. La tension au travail se conjugue avec la tension de la vie de tous les jours. Chaque individu s'adapte différemment à chaque type de tension. Un généraliste qui pratique la médecine holistique ou un psychologue peuvent vous aider.

Si l'apparition des T.E.V. a accru votre charge de travail tout en rognant sur vos pouvoirs de prise de décision, il est possible que vous soyez tendu, surtout si vous craignez de perdre votre emploi en raison de l'importance accrue de la bureautique. Une réunion organisée à intervalles réguliers entre la direction et le personnel, en présence du personnel sanitaire et des représentants syndicaux, pourrait éclaircir la situation. L'ordre du jour devrait inclure une combinaison plus judicieuse des tâches qui font appel à l'utilisation des T.E.V. avec les autres, l'amélioration de la formation professionnelle, une meilleure répartition des pauses. On peut choisir entre une pause de dix minutes toutes les heures et une pause de quinze à vingt minutes toutes les deux heures. Vous pourriez également vous livrer pendant une heure à un travail entièrement différent, après avoir passé deux heures devant votre T.E.V.

Les relations humaines sont parfois nécessaires pour dissiper la sensation d'isolement que procure l'exécution d'un travail impersonnel. Éloignez-vous de votre pupitre pour déjeuner. Allez retrouver vos collègues. Persuadez les syndicats de réclamer à la direction des cours de perfectionnement destinés aux groupes d'employés.

Si vous ne personnalisez pas votre coin de travail en y accrochant des photographies, par exemple, ou en y apportant des objets qui vous appartiennent, cela signifie probablement que vous n'avez pas l'intention de le considérer comme votre lieu de travail permanent, même s'il l'est dans la réalité.

Le sentiment de pouvoir améliorer ses conditions de travail apporte un soulagement. Le meilleur moyen consiste à réunir le plus grand nombre possible de collègues afin de les convaincre de rédiger avec vous une plainte collective. Suggérez des changements. Distinguez les problèmes de vision des problèmes psychologiques. Les facteurs émotifs ont tendance à submerger tout le reste lorsque le travail n'est guère satisfaisant. Méfiez-vous d'une réaction émotive disproportionnée.

Les employés qui doivent traiter des informations souffrent moins de la tension que ceux qui se contentent de reproduire des données. L'absence de créativité accroît la tension, de même qu'une surveillance exagérée du travail des employés par la direction (par exemple, lorsque votre T.E.V. est branché sur l'appareil de votre supérieur, qui peut surveiller en permanence votre travail), surtout lorsqu'un rythme précis doit être maintenu.

Il se peut que votre travail soit régulièrement évalué, de manière presque anonyme, sans que vous le sachiez, puisqu'il suffit de vérifier l'écran. Si tel est le cas, l'évaluateur devrait régulièrement s'entretenir avec vous à ce propos.

Un nombre excessif d'employés entassés dans un espace trop restreint provoque la tension. La situation s'aggrave lorsque plusieurs opérateurs de T.E.V. se font face, répartis en petits groupes.

Une tension perpétuelle, provoquée par le travail, peut aboutir à une cardiopathie. Les problèmes physiques naissent souvent d'une tension psychologique. Si vous vous sentez trop surveillé au travail, il est possible que vous finissiez par souffrir d'anxiété, de dépression et que vous deveniez irritable. La tension psychologique accroît la tension musculaire. Lorsque les muscles des yeux et du cou sont tendus, la fatigue oculaire survient, accompagnée de céphalées. Une tension psychologique durable peut engendrer l'hypertension artérielle, des crises cardiaques, des problèmes digestifs et des ulcères.

Un travail ingrat et monotone est toujours fastidieux. Par conséquent, si l'opérateur peut se livrer à d'autres activités à temps partiel, son travail devant le T.E.V. lui paraîtra moins déshumanisé. Il est impossible d'enrayer la révolution informatique; il est préférable d'y collaborer en vous recyclant. Cependant, vos employeurs demeurent responsables de votre santé et de votre sécurité.

La tenue d'un journal

Tenez le journal de votre travail devant un T.E.V. Inscrivez le nombre total d'heures de travail chaque jour, la durée des pauses, les résultats des examens réguliers de votre vue ainsi que les conseils donnés par votre spécialiste. Mentionnez les défaillances du matériel, la fréquence des séances d'entretien. Si la direction de la compagnie fournit des appareils supplémentaires qui doivent être adaptés aux terminaux, inscrivez-le.

Si un problème se présente, vérifiez s'il a tendance à se reproduire chaque semaine, le même jour, à la même heure. Notez l'heure à laquelle il apparaît, sa durée, son intensité, la fréquence des symptômes.

Si plusieurs T.E.V. sont installés dans votre bureau, numérotez-les et dessinez le plan de la pièce en précisant l'endroit où ils se trouvent.

Essayez de découvrir si certains opérateurs de terminaux sont plus prédisposés aux problèmes que d'autres.

Inscrivez la marque, le modèle, le numéro de série et le nom du fabricant des T.E.V.

Si vous rédigez une note de service adressée à votre supérieur, relativement à un problème causé par l'utilisation des T.E.V., gardez-en un exemplaire dans vos dossiers.

Le travail par équipes

Travailler lorsque votre corps préférerait dormir risque d'affaiblir votre résistance aux matières toxiques.

Nous avons tous un rythme biologique, "circadien", qui est influencé par le champ magnétique terrestre. Il peut, entre autres, vous rendre plus sensible à la pollution par le rayonnement à divers moments de la journée que d'autres personnes dont le rythme biologique est différent. Ce rythme est une fluctuation de notre niveau d'énergie et de notre faculté de concentration. Les phénomènes suivants doivent se dérouler régulièrement au cours d'un cycle de 24 heures: la libération des hormones, le nombre de globules en circulation, les modifications de la température du corps, la pression intra-oculaire, la division cellulaire. Les variations rythmiques de la température du corps et la sécrétion hormonale sont les deux facteurs principaux des cycles biologiques.

Chez de nombreuses personnes, la capacité de régler les problèmes est à son plus bas entre 16 et 17 heures.

Le décalage horaire est un exemple de la perturbation du rythme circadien. (Ne confondez pas "rythme circadien" et "tableaux de biorythmes". Ces derniers sont disponibles dans le commerce mais n'ont aucun fondement scientifique.)

Si vous travaillez dans une équipe, vous constaterez peut-être une différence entre l'atmosphère diurne et l'atmosphère nocturne de la même pièce.

Voir Les heures d'utilisation
La somnolence

Les ultrasons

Les ultrasons ne sont pas une source d'énergie électromagnétique. Il s'agit d'un son supérieur à 20 kHz, que la plupart des humains sont incapables de percevoir. Il peut cependant provoquer des bourdonnements d'oreilles.

Les T.E.V. peuvent émettre jusqu'à 32 kHz d'ultrasons, lesquels sont pour la plupart absorbés par l'appareil même. Un sonomètre peut permettre de détecter les ultrasons présents à l'endroit où se trouve le visage de l'opérateur, devant l'écran, soit à 50 cm (20 pouces) de distance environ. Une forte dose d'ultrasons peut engendrer des maux de tête, des bourdonnements d'oreilles et l'instabilité. Il s'ensuit des nausées, de la somnolence et de la fatigue lorsque les ultrasons sont très aigus. Certaines personnes sont capables d'entendre un bruit très aigu dans certaines conditions. Les femmes, les enfants et les personnes âgées sont les plus touchées.

Certains systèmes d'alarme antivol émettent des ultrasons, même lorsqu'ils sont débranchés. L'éclairage de sol accroît la sensibilité aux ultrasons émis par les systèmes d'alarme.

En général, les personnes sensibles aux ultrasons sont également sensibles à la modification de la proportion d'ions négatifs ou positifs dans l'atmosphère.

Moins de 1 pour 100 des ultrasons est absorbé par la peau. Par conséquent, leurs effets sur les cellules sont négligeables. L'oreille peut cependant être touchée. Si l'exposition à une forte émission d'ultrasons est prolongée, l'ouïe peut être temporairement endommagée. N'importe quel bruit vient accroître la tension que subit le corps. Les bruits de haute fréquence stimulent la production d'adrénaline et favorisent la rétention d'eau.

Voir Les maux de tête

Le vieillissement

À partir de quarante ans, travailler devant un T.E.V. présente un problème, à moins que vous ne soyez une personne myope (qui ne voit bien que de près) d'environ 2,00 dioptries.

Une lumière plus vive est nécessaire lorsqu'on vieillit car les pupilles diminuent de taille et le cristallin jaunit. La quantité réelle de lumière qui atteint les parties de l'oeil sensibles à la lumière est le tiers, à soixante ans, de ce qu'elle est à vingt ans.

Au fur et à mesure que le cristallin jaunit et s'agrandit, on constate une plus grande absorption et un éparpillement accru de la lumière, notamment de la lumière bleue. Il arrive qu'on ne distingue une lumière verte en tant que telle que lorsqu'elle devient plus forte. C'est pourquoi les lumières plus rouges et plus jaunes nous semblent plus agréables à regarder, en particulier si nous avons l'habitude d'exiger beaucoup de nos yeux. Pour régler ce problème, il convient d'accentuer les contrastes, tout en évitant les lumières bleues. Des lettres blanches sur fond noir présentent le meilleur contraste.

Lorsqu'on dépasse cinquante-cinq ans, toutes les couleurs s'atténuent, notamment les teintes bleutées. On finit par ne plus voir que du gris à la place du vert-jaune et du vert.

Au cas où, après avoir réglé votre écran de manière à jouir du contraste maximal, vous estimeriez que cela ne suffit pas, votre ophtalmologiste décidera peut-être de vous soumettre à un examen afin de déterminer votre sensibilité aux contrastes.

Les personnes qui portent des verres à double foyer ou des verres de lecture ont besoin d'un contraste plus accentué entre les lettres et le fond. Une petite remarque à propos des verres à double foyer: plus la lentille de lecture est puissante, plus il devient difficile d'éloigner ou de rapprocher ce que vous lisez au-delà d'un certain point dans chaque sens. En outre, plus vous vieillirez, plus vous aurez besoin d'une lentille de lecture puissante. Ce processus se poursuit jusqu'à l'âge de soixante-cinq ans, après quoi la vue de près se stabilise.

À la place des verres à double foyer, vous pouvez superposer à vos lunettes habituelles des verres adaptables qui s'agrafent à la monture.

Vos lunettes devraient vous permettre de distinguer les trois sources principales: l'écran, le clavier et le document original. Si votre vitesse d'accommodation est trop faible, il vous faudra plus de temps pour focaliser une de ces trois sources. Des exercices visuels seraient peut-être utiles. Vous pouvez également faire en sorte que les trois sources soient équidistantes de vos yeux.

L'accommodation (soit la capacité de distinguer clairement les détails de près) diminue à des rythmes différents selon les individus. Certaines personnes ont besoin de changer fréquemment de verres de lecture et risquent d'attribuer à tort cette perte de vision proche à l'utilisation constante d'un T.E.V.

Vos yeux se fatiguent plus vite avec l'âge, mais toute activité musculaire restreinte est plus fatigante que l'activité dynamique équivalente, *quel que soit votre âge.*

Les personnes âgées de cinquante-cinq ans et plus possèdent un avantage en ce qui concerne l'utilisation des T.E.V.: elles sont moins facilement capables de détecter les lumières qui clignotent. En réduisant l'illumination de l'écran, il leur est possible d'éliminer le problème du clignotement, qui demeure présent pour une personne plus jeune.

Lorsqu'on vieillit, les yeux s'assèchent. L'impression d'avoir des grains de sable ou de poussière sous les paupières peut accompagner cet assèchement.

La vision double

Si vous focalisez un objet unique, proche de vous, pendant un long moment, il vous faudra quelques secondes, voire quelques minutes pour récupérer une vision éloignée normale. Dans l'intervalle, vous aurez peut-être l'impression de voir double ou flou, mais elle ne sera que passagère. Prenez des pauses plus fréquentes. Si ce phénomène se produit souvent, votre optométriste vous prescrira des exercices oculaires destinés à le faire disparaître.

Certaines personnes âgées ont une cataracte dans un seul oeil. Il est possible que, dans ce cas, les muscles qui servent à l'accommodation et à la convergence se fatiguent rapidement. Ces personnes commencent par voir flou, les objets semblent ensuite se chevaucher, et, pour finir, elles voient carrément double. Dans certaines formes de cataractes, *un seul oeil* peut être frappé de vision double.

Après trente-cinq ans, les muscles qui servent à l'accommodation se fatiguent plus facilement. Les efforts constants de mise au point exigent beaucoup des muscles extra-oculaires qui permettent de déplacer les yeux. Ils perdent alors leur coordination, ce qui provoque la vision double. Parlez-en à votre spécialiste. Pour vous soulager provisoirement, essayez de fermer un oeil lorsque cela se produit, tout en continuant à travailler avec l'autre. En outre, efforcez-vous de regarder aussi loin que possible, aussi souvent que possible. Ne lisez pas pendant les pauses et fermez les yeux à plusieurs reprises, pendant un long moment, lorsque la sensation d'inconfort se manifeste.

Table alphabétique

Achevé d'imprimer au Canada
sur les presses de
l'Imprimerie Gagné Ltée
Louiseville

Ouvrages parus aux ÉDITIONS DE L'HOMME

sans * pour l'Amérique du Nord seulement
*** pour l'Europe et l'Amérique du Nord**
**** pour l'Europe seulement**

ALIMENTATION — SANTÉ

Allergies, Les, Dr Pierre Delorme
* **Cellulite, La,** Dr Jean-Paul Ostiguy
Conseils de mon médecin de famille, Les, Dr Maurice Lauzon
Contrôler votre poids, Dr Jean-Paul Ostiguy
Diététique dans la vie quotidienne, La, Louise Lambert-Lagacé
Face-lifting par l'exercice, Le, Senta Maria Rungé
* **Guérir ses maux de dos,** Dr Hamilton Hall
* **Maigrir en santé,** Denyse Hunter
* **Maigrir, un nouveau régime de vie,** Edwin Bayrd
Massage, Le, Byron Scott
Médecine esthétique, La, Dr Guylaine Lanctôt
* **Régime pour maigrir,** Marie-Josée Beaudoin
* **Sport-santé et nutrition,** Dr Jean-Paul Ostiguy
* **Vivre jeune,** Myra Waldo

ART CULINAIRE

Agneau, L', Jehane Benoit
Art d'apprêter les restes, L', Suzanne Lapointe
* **Art de la cuisine chinoise, L',** Stella Chan
Art de la table, L', Marguerite du Coffre
Boîte à lunch, La, Louise Lambert-Lagacé
Bonne table, La, Juliette Huot
Brasserie la Mère Clavet vous présente ses recettes, La, Léo Godon
Canapés et amuse-gueule
101 omelettes, Claude Marycette
Cocktails de Jacques Normand, Les, Jacques Normand
Confitures, Les, Misette Godard
* **Congélation des aliments, La,** Suzanne Lapointe
* **Conserves, Les,** Soeur Berthe
* **Cuisine au wok, La,** Charmaine Solomon
Cuisine chinoise, La, Lizette Gervais
Cuisine de Maman Lapointe, La, Suzanne Lapointe
Cuisine de Pol Martin, La, Pol Martin
Cuisine des 4 saisons, La, Hélène Durand-LaRoche
* **Cuisine du monde entier, La,** Jehane Benoit
Cuisine en fête, La, Juliette Lassonde
Cuisine facile aux micro-ondes, Pauline Saint-Amour
* **Cuisine micro-ondes, La,** Jehane Benoit
Desserts diététiques, Claude Poliquin
Du potager à la table, Paul Pouliot, Pol Martin
En cuisinant de 5 à 6, Juliette Huot
* **Faire son pain soi-même,** Janice Murray Gill
* **Fèves, haricots et autres légumineuses,** Tess Mallos
Fondue et barbecue
* **Fondues et flambées de Maman Lapointe,** S. et L. Lapointe
Fruits, Les, John Goode
Gastronomie au Québec, La, Abel Benquet
Grande cuisine au Pernod, La, Suzanne Lapointe
Grillades, Les
* **Guide complet du barman, Le,** Jacques Normand
Hors-d'oeuvre, salades et buffets froids, Louis Dubois

Légumes, Les, John Goode
Liqueurs et philtres d'amour, Hélène Morasse
Ma cuisine maison, Jehane Benoit
Madame reçoit, Hélène Durand-LaRoche
* **Menu de santé,** Louise Lambert-Lagacé
Pâtes à toutes les sauces, Les, Lucette Lapointe
Pâtisserie, La, Maurice-Marie Bellot
Petite et grande cuisine végétarienne, Manon Bédard
Poissons et crustacés
Poissons et fruits de mer, Soeur Berthe
* **Poulet à toutes les sauces, Le,** Monique Thyraud de Vosjoli
Recettes à la bière des grandes cuisines Molson, Les, Marcel L. Beaulieu
Recettes au blender, Juliette Huot
Recettes de gibier, Suzanne Lapointe
Recettes de Juliette, Les, Juliette Huot
Recettes pour aider à maigrir, Dr Jean-Paul Ostiguy
Robot culinaire, Le, Pol Martin
Sauces pour tous les plats, Huguette Gaudette, Suzanne Colas
* **Techniques culinaires, Les,** Soeur Berthe
* **Une cuisine sage,** Louise Lambert-Lagacé
Vins, cocktails et spiritueux, Gilles Cloutier
Y'a du soleil dans votre assiette, Francine Georget

DOCUMENTS — BIOGRAPHIES

Art traditionnel au Québec, L', M. Lessard et H. Marquis
Artisanat québécois, T. I, Cyril Simard
Artisanat québécois, T. II, Cyril Simard
Artisanat québécois, T. III, Cyril Simard
Bien pensants, Les, Pierre Berton
Charlebois, qui es-tu? Benoît L'Herbier
Comité, Le, M. et P. Thyraud de Vosjoli
Daniel Johnson, T. I, Pierre Godin
Daniel Johnson, T. II, Pierre Godin
Deux innocents en Chine Rouge, Jacques Hébert, Pierre E. Trudeau
Duplessis, l'ascension, T. I, Conrad Black
Duplessis, le pouvoir, T. II, Conrad Black
Dynastie des Bronfman, La, Peter C. Newman
Écoles de rang au Québec, Les, Jacques Dorion
* **Ermite, L',** T. Lobsang Rampa
Establishment canadien, L', Peter C. Newman
Fabuleux Onassis, Le, Christian Cafarakis
Filière canadienne, La, Jean-Pierre Charbonneau
Frère André, Le, Micheline Lachance
Insolences du frère Untel, Les, Frère Untel
Invasion du Canada L', T. I, Pierre Berton
Invasion du Canada L', T. II, Pierre Berton
John A. Macdonald, T. I, Donald Creighton
John A. Macdonald, T. II, Donald Creighton
Lamia, P.L. Thyraud de Vosjoli
Magadan, Michel Solomon
Maison traditionnelle au Québec, La, M. Lessard, G. Vilandré
Mammifères de mon pays, Les, St-Denys-Duchesnay-Dumais
Masques et visages du spiritualisme contemporain, Julius Evola
Mastantuono, M. Mastantuono, M. Auger
Mon calvaire roumain, Michel Solomon
Moulins à eau de la vallée du St-Laurent, Les, F. Adam-Villeneuve, C. Felteau
Mozart raconté en 50 chefs-d'oeuvre, Paul Roussel
Nos aviateurs, Jacques Rivard
Nos soldats, George F.G. Stanley
Nouveaux Riches, Les, Peter C. Newman
Objets familiers de nos ancêtres, Les, Vermette, Genêt, Décarie-Audet
Oui, René Lévesque
* **OVNI,** Yurko Bondarchuck
Papillons du Québec, Les, B. Prévost et C. Veilleux
Patronage et patroneux, Alfred Hardy
Petite barbe, j'ai vécu 40 ans dans le Grand Nord, La, André Steinmann
* **Pour entretenir la flamme,** T. Lobsang Rampa
Prague, l'été des tanks, Desgraupes, Dumayet, Stanké
Prince de l'Église, le cardinal Léger, Le, Micheline Lachance

Provencher, le dernier des coureurs de bois, Paul Provencher
Réal Caouette, Marcel Huguet
Révolte contre le monde moderne, Julius Evola
Struma, Le, Michel Solomon
Temps des fêtes au Québec, Le, Raymond Montpetit
Terrorisme québécois, Le, Dr Gustave Morf
* **Treizième chandelle, La,** T. Lobsang Rampa
Troisième voie, La, Me Emile Colas
Trois vies de Pearson, Les, J.-M. Poliquin, J.R. Beal
Trudeau, le paradoxe, Anthony Westell
Vizzini, Sal Vizzini
Vrai visage de Duplessis, Le, Pierre Laporte

ENCYCLOPÉDIES

Encyclopédie de la chasse au Québec, Bernard Leiffet
Encyclopédie de la maison québécoise, M. Lessard, H. Marquis
* **Encyclopédie de la santé de l'enfant, L',** Richard I. Feinbloom
Encyclopédie des antiquités du Québec, M. Lessard, H. Marquis
Encyclopédie des oiseaux du Québec, W. Earl Godfrey
Encyclopédie du jardinier horticulteur, W.H. Perron
Encyclopédie du Québec, vol. I, Louis Landry
Encyclopédie du Québec, vol. II, Louis Landry

ENFANCE ET MATERNITÉ

* **Aider son enfant en maternelle et en 1ère année,** Louise Pedneault-Pontbriand
* **Aider votre enfant à lire et à écrire,** Louise Doyon-Richard
Avoir un enfant après 35 ans, Isabelle Robert
* **Comment avoir des enfants heureux,** Jacob Azerrad
Comment amuser nos enfants, Louis Stanké
* **Comment nourrir son enfant,** Louise Lambert-Lagacé
* **Découvrez votre enfant par ses jeux,** Didier Calvet
Des enfants découvrent l'agriculture, Didier Calvet
* **Développement psychomoteur du bébé, Le,** Didier Calvet
* **Douze premiers mois de mon enfant, Les,** Frank Caplan
Droits des futurs parents, Les, Valmai Howe Elkins
* **En attendant notre enfant,** Yvette Pratte-Marchessault
Enfant unique, L', Ellen Peck
* **Éveillez votre enfant par des contes,** Didier Calvet
* **Exercices et jeux pour enfants,** Trude Sekely
Femme enceinte, La, Dr Robert A. Bradley
Futur père, Yvette Pratte-Marchessault
* **Jouons avec les lettres,** Louise Doyon-Richard
* **Langage de votre enfant, Le,** Claude Langevin
Maman et son nouveau-né, La, Trude Sekely
Merveilleuse histoire de la naissance, Dr Lionel Gendron
Pour bébé, le sein ou le biberon, Yvette Pratte-Marchessault
Pour vous future maman, Trude Sekely
* **Préparez votre enfant à l'école,** Louise Doyon-Richard
* **Psychologie de l'enfant, La,** Françoise Cholette-Pérusse
* **Tout se joue avant la maternelle,** Isuba Mansuka
* **Trois premières années de mon enfant, Les,** Dr Burton L. White
* **Une naissance apprivoisée,** Edith Fournier, Michel Moreau

LANGUE

Améliorez votre français, Jacques Laurin
* **Anglais par la méthode choc, L',** Jean-Louis Morgan

Corrigeons nos anglicismes, Jacques Laurin
* J'apprends l'anglais, G. Silicani et J. Grisé-Allard
Notre français et ses pièges, Jacques Laurin
Petit dictionnaire du joual au français, Augustin Turennes
Verbes, Les, Jacques Laurin

LITTÉRATURE

Adieu Québec, André Bruneau
Allocutaire, L', Gilbert Langlois
Arrivants, Les, collaboration
Berger, Les, Marcel Cabay-Marin
Bigaouette, Raymond Lévesque
Carnivores, Les, François Moreau
Carré St-Louis, Jean-Jules Richard
Centre-ville, Jean-Jules Richard
Chez les termites, Madeleine Ouellette-Michalska
Commettants de Caridad, Les, Yves Thériault
Danka, Marcel Godin
Débarque, La, Raymond Plante
Domaine Cassaubon, Le, Gilbert Langlois
Doux mal, Le, Andrée Maillet
D'un mur à l'autre, Paul-André Bibeau
Emprise, L', Gaétan Brulotte
Engrenage, L', Claudine Numainville
En hommage aux araignées, Esther Rochon
Faites de beaux rêves, Jacques Poulin
Fuite immobile, La, Gilles Archambault
J'parle tout seul quand Jean Narrache, Émile Coderre
Jeu des saisons, Le, Madeleine Ouellette-Michalska
Marche des grands cocus, La, Roger Fournier
Monde aime mieux..., Le, Clémence Desrochers
Mourir en automne, Claude DeCotret
N'Tsuk, Yves Thériault
Neuf jours de haine, Jean-Jules Richard
New medea, Monique Bosco
Outaragasipi, L', Claude Jasmin
Petite fleur du Vietnam, La, Clément Gaumont
Pièges, Jean-Jules Richard
Porte silence, Paul-André Bibeau
Requiem pour un père, François Moreau
Si tu savais..., Georges Dor
Tête blanche, Marie-Claire Blais
Trou, Le, Sylvain Chapdeleine
Visages de l'enfance, Les, Dominique Blondeau

LIVRES PRATIQUES — LOISIRS

Améliorons notre bridge, Charles A. Durand
* **Art du dressage de défense et d'attaque, L',** Gilles Chartier
* **Art du pliage du papier, L',** Robert Harbin
* **Baladi, Le,** Micheline d'Astous
* **Ballet-jazz, Le,** Allen Dow et Mike Michaelson
* **Belles danses, Les,** Allen Dow et Mike Michaelson
Bien nourrir son chat, Christian d'Orangeville
Bien nourrir son chien, Christian d'Orangeville
Bonnes idées de maman Lapointe, Les, Lucette Lapointe
* **Bridge, Le,** Vivianne Beaulieu
Budget, Le, en collaboration
Choix de carrières, T. I, Guy Milot
Choix de carrières, T. II, Guy Milot
Choix de carrières, T. III, Guy Milot
Collectionner les timbres, Yves Taschereau
Comment acheter et vendre sa maison, Lucile Brisebois
Comment rédiger son curriculum vitae, Julie Brazeau
Comment tirer le maximum d'une mini-calculatrice, Henry Mullish
Conseils aux inventeurs, Raymond-A. Robic
Construire sa maison en bois rustique, D. Mann et R. Skinulis
Crochet jacquard, Le, Brigitte Thérien
Cuir, Le, L. St-Hilaire, W. Vogt
* **Découvrir son ordinateur personnel,** François Faguy
Dentelle, La, Andrée-Anne de Sève
Dentelle II, La, Andrée-Anne de Sève
Dictionnaire des affaires, Le, Wilfrid Lebel

* **Dictionnaire des mots croisés — noms communs,** Paul Lasnier
* **Dictionnaire des mots croisés — noms propres,** Piquette-Lasnier-Gauthier
Dictionnaire économique et financier, Eugène Lafond
* **Dictionnaire raisonné des mots croisés,** Jacqueline Charron
Emploi idéal en 4 minutes, L', Geoffrey Lalonde
Étiquette du mariage, L', Marcelle Fortin-Jacques
Faire son testament soi-même, Me G. Poirier et M. Nadeau Lescault
Fins de partie aux dames, H. Tranquille et G. Lefebvre
Fléché, Le, F. Bourret, L. Lavigne
Frivolité, La, Alexandra Pineault-Vaillancourt
Gagster, Claude Landré
Guide complet de la couture, Le, Lise Chartier
* **Guide complet des cheveux, Le,** Phillip Kingsley
Guide du chauffage au bois, Le, Gordon Flagler
* **Guitare, La,** Peter Collins
Hypnotisme, L', Jean Manolesco
* **J'apprends à dessiner,** Joanna Nash
Jeu de la carte et ses techniques, Le, Charles A. Durand
Jeux de cartes, Les, George F. Hervey
* **Jeux de dés, Les,** Skip Frey
Jeux d'hier et d'aujourd'hui, S. Lavoie et Y. Morin
* **Jeux de société,** Louis Stanké
* **Jouets, Les,** Nicole Bolduc
* **Lignes de la main, Les,** Louis Stanké
Loi et vos droits, La, Me Paul-Émile Marchand
Magie et tours de passe-passe, Ian Adair
Magie par la science, La, Walter B. Gibson
* **Manuel de pilotage**
Marionnettes, Les, Roger Régnier
Mécanique de mon auto, La, Time Life Books
* **Mon chat, le soigner, le guérir,** Christian d'Orangeville
Nature et l'artisanat, La, Soeur Pauline Roy
* **Noeuds, Les,** George Russel Shaw
Nouveau guide du propriétaire et du locataire, Le, Mes M. Bolduc, M. Lavigne, J. Giroux
* **Ouverture aux échecs, L',** Camille Coudari
Papier mâché, Le, Roger Régnier
P'tite ferme, les animaux, La, Jean-Claude Trait
Petit manuel de la femme au travail, Lise Cardinal
Poids et mesures, calcul rapide, Louis Stanké
Races de chats, chats de race, Christian d'Orangeville
Races de chiens, chiens de race, Christian d'Orangeville
Roulez sans vous faire rouler, T. I, Philippe Edmonston
Roulez sans vous faire rouler, T. II, le guide des voitures d'occasion, Philippe Edmonston
Savoir-vivre d'aujourd'hui, Le, Marcelle Fortin-Jacques
Savoir-vivre, Nicole Germain
Scrabble, Le, Daniel Gallez
Secrétaire bilingue, Le/la, Wilfrid Lebel
Secrétaire efficace, La, Marian G. Simpsons
Tapisserie, La, T.M. Perrier, N.B. Langlois
* **Taxidermie, La,** Jean Labrie
Tenir maison, Françoise Gaudet-Smet
Terre cuite, Robert Fortier
Tissage, Le, G. Galarneau, J. Grisé-Allard
Tout sur le macramé, Virginia I. Harvey
Trouvailles de Clémence, Les, Clémence Desrochers
2001 trucs ménagers, Lucille Godin
Vive la compagnie, Pierre Daigneault
Vitrail, Le, Claude Bettinger
Voir clair aux dames, H. Tranquille, G. Lefebvre
* **Voir clair aux échecs,** Henri Tranquille
* **Votre avenir par les cartes,** Louis Stanké
Votre discothèque, Paul Roussel

PHOTOGRAPHIE

* **8/super 8/16,** André Lafrance
* **Apprendre la photo de sport,** Denis Brodeur
* **Apprenez la photographie avec Antoine Desilets**
* **Chasse photographique, La,** Louis-Philippe Coiteux
* **Découvrez le monde merveilleux de la photographie,** Antoine Desilets
* **Je développe mes photos,** Antoine Desilets

* **Guide des accessoires et appareils photos, Le,** Antoine Desilets, Paul Taillefer
* **Je prends des photos,** Antoine Desilets
* **Photo à la portée de tous, La,** Antoine Desilets
* **Photo de A à Z, La,** Desilets, Coiteux, Gariépy
* **Photo Reportage,** Alain Renaud
* **Technique de la photo, La,** Antoine Desilets

PLANTES ET JARDINAGE

Arbres, haies et arbustes, Paul Pouliot
Automne, le jardinage aux quatre saisons, Paul Pouliot
* **Décoration intérieure par les plantes, La,** M. du Coffre, T. Debeur
Été, le jardinage aux quatre saisons, Paul Pouliot
Guide complet du jardinage, Le, Charles L. Wilson
Hiver, le jardinage aux quatre saisons, Paul Pouliot
Jardins d'intérieur et serres domestiques, Micheline Lachance
Jardin potager, la p'tite ferme, Le, Jean-Claude Trait
Je décore avec des fleurs, Mimi Bassili
Plantes d'intérieur, Les, Paul Pouliot
Printemps, le jardinage aux quatre saisons, Paul Pouliot
Techniques du jardinage, Les, Paul Pouliot
* **Terrariums, Les,** Ken Kayatta et Steven Schmidt
Votre pelouse, Paul Pouliot

PSYCHOLOGIE

Âge démasqué, L', Hubert de Ravinel
* **Aider mon patron à m'aider,** Eugène Houde
* **Amour, de l'exigence à la préférence, L',** Lucien Auger
Caractères et tempéraments, Claude-Gérard Sarrazin
* **Coeur à l'ouvrage, Le,** Gérald Lefebvre
* **Comment animer un groupe,** collaboration
* **Comment déborder d'énergie,** Jean-Paul Simard
* **Comment vaincre la gêne et la timidité,** René-Salvator Catta
* **Communication dans le couple, La,** Luc Granger
* **Communication et épanouissement personnel,** Lucien Auger
Complexes et psychanalyse, Pierre Valinieff
* **Contact,** Léonard et Nathalie Zunin
* **Courage de vivre, Le,** Dr Ari Kiev
Dynamique des groupes, J.M. Aubry, Y. Saint-Arnaud
* **Émotivité et efficacité au travail,** Eugène Houde
* **Être soi-même,** Dorothy Corkille Briggs
* **Facteur chance, Le,** Max Gunther
* **Fantasmes créateurs, Les,** J.L. Singer, E. Switzer
Frères — Soeurs, la rivalité fraternelle, Dr J.F. McDermott, Jr
* **Hypnose, bluff ou réalité?,** Alain Marillac
* **Interprétez vos rêves,** Louis Stanké
* **J'aime,** Yves Saint-Arnaud
* **Mise en forme psychologique, La,** Richard Corriere et Joseph Hart
* **Parle moi... j'ai des choses à te dire,** Jacques Salomé
Penser heureux, Lucien Auger
* **Personne humaine, La,** Yves Saint-Arnaud
* **Première impression, La,** Chris. L. Kleinke
* **Psychologie de l'amour romantique, La,** Dr Nathaniel Branden
* **S'affirmer et communiquer,** J.-M. Boisvert, M. Beaudry
* **S'aider soi-même,** Lucien Auger
* **S'aider soi-même davantage,** Lucien Auger
* **S'aimer pour la vie,** Dr Zev Wanderer et Erika Fabian
* **Savoir organiser, savoir décider,** Gérald Lefebvre
* **Savoir relaxer pour combattre le stress,** Dr Edmund Jacobson
* **Se changer,** Michael J. Mahoney
* **Se comprendre soi-même,** collaboration
* **Se concentrer pour être heureux,** Jean-Paul Simard

* **Se connaître soi-même,** Gérard Artaud
* **Se contrôler par le biofeedback,** Paultre Ligondé
* **Se créer par la gestalt,** Joseph Zinker

Se guérir de la sottise, Lucien Auger
S'entraider, Jacques Limoges
Séparation du couple, La, Dr Robert S. Weiss

* **Trouver la paix en soi et avec les autres,** Dr Theodor Rubin
* **Vaincre ses peurs,** Lucien Auger
* **Vivre avec sa tête ou avec son coeur,** Lucien Auger

Volonté, l'attention, la mémoire, La, Robert Tocquet
Votre personnalité, caractère..., Yves Benoit Morin

* **Vouloir c'est pouvoir,** Raymond Hull

Yoga, corps et pensée, Bruno Leclercq
Yoga des sphères, Le, Bruno Leclercq

SEXOLOGIE

* **Avortement et contraception,** Dr Henry Morgentaler
* **Bien vivre sa ménopause,** Dr Lionel Gendron
* **Comment séduire les femmes,** E. Weber, M. Cochran
* **Comment séduire les hommes,** Nicole Ariana

Fais voir! W. McBride et Dr H.F.-Hardt

* **Femme enceinte et la sexualité, La,** Elizabeth Bing, Libby Colman

Femme et le sexe, La, Dr Lionel Gendron

* **Guide gynécologique de la femme moderne, Le,** Dr Sheldon H. Sherry

Helga, Eric F. Bender
Homme et l'art érotique, L', Dr Lionel Gendron
Maladies transmises sexuellement, Les, Dr Lionel Gendron
Qu'est-ce qu'un homme? Dr Lionel Gendron
Quel est votre quotient psycho-sexuel? Dr Lionel Gendron

* **Sexe au féminin, Le,** Carmen Kerr

Sexualité, La, Dr Lionel Gendron

* **Sexualité du jeune adolescent, La,** Dr Lionel Gendron

Sexualité dynamique, La, Dr Paul Lefort

* **Ta première expérience sexuelle,** Dr Lionel Gendron et A.-M. Ratelle
* **Yoga sexe,** S. Piuze et Dr L. Gendron

SPORTS

ABC du hockey, L', Howie Meeker

* **Aïkido — au-delà de l'agressivité,** M. N.D. Villadorata et P. Grisard

Apprenez à patiner, Gaston Marcotte

* **Armes de chasse, Les,** Charles Petit-Martinon
* **Badminton, Le,** Jean Corbeil

Ballon sur glace, Le, Jean Corbeil
Bicyclette, La, Jean Corbeil

* **Canoé-kayak, Le,** Wolf Ruck
* **Carte et boussole,** Björn Kjellström

100 trucs de billard, Pierre Morin
Chasse et gibier du Québec, Greg Guardo, Raymond Bergeron
Chasseurs sachez chasser, Lucien B. Lapierre

* **Comment se sortir du trou au golf,** L. Brien et J. Barrette
* **Comment vivre dans la nature,** Bill Riviere
* **Conditionnement physique, Le,** Chevalier-Laferrière-Bergeron
* **Corrigez vos défauts au golf,** Yves Bergeron

Corrigez vos défauts au jogging, Yves Bergeron
Danse aérobique, La, Barbie Allen

* **En forme après 50 ans,** Trude Sekely
* **En superforme par la méthode de la NASA,** Dr Pierre Gravel

Entraînement par les poids et haltères, Frank Ryan
Équitation en plein air, L', Jean-Louis Chaumel
Exercices pour rester jeune, Trude Sekely

* **Exercices pour toi et moi,** Joanne Dussault-Corbeil

Femme et le karaté samouraï, La, Roger Lesourd
Guide du judo (technique debout), Le, Louis Arpin

* **Guide du self-defense, Le,** Louis Arpin
* **Guide de survie de l'armée américaine, Le**

Guide du trappeur, Paul Provencher
Initiation à la plongée sous-marine, René Goblot

* **J'apprends à nager,** Régent LaCoursière
* **Jogging, Le,** Richard Chevalier
Jouez gagnant au golf, Luc Brien, Jacques Barrette
* **Jouons ensemble,** P. Provost, M.J. Villeneuve
* **Karaté, Le,** André Gilbert
* **Karaté Sankukai, Le,** Yoshinao Nanbu
Larry Robinson, le jeu défensif au hockey, Larry Robinson
Lutte olympique, La, Marcel Sauvé, Ronald Ricci
* **Marathon pour tous, Le,** P. Anctil, D. Bégin, P. Montuoro
Marche, La, Jean-François Pronovost
Maurice Richard, l'idole d'un peuple, Jean-Marie Pellerin
* **Médecine sportive, La,** M. Hoffman et Dr G. Mirkin
Mon coup de patin, le secret du hockey, John Wild
* **Musculation pour tous, La,** Serge Laferrière
Nadia, Denis Brodeur et Benoît Aubin
Natation de compétition, La, Régent LaCoursière
Navigation de plaisance au Québec, La, R. Desjardins et A. Ledoux
Mes observations sur les insectes, Paul Provencher
Mes observations sur les mammifères, Paul Provencher
Mes observations sur les oiseaux, Paul Provencher
Mes observations sur les poissons, Paul Provencher
Passes au hockey, Les, Chapleau-Frigon-Marcotte
Parachutisme, Le, Claude Bédard
Pêche à la mouche, La, Serge Marleau
Pêche au Québec, La, Michel Chamberland
Pistes de ski de fond au Québec, Les, C. Veilleux et B. Prévost
Planche à voile, La, P. Maillefer
* **Pour mieux jouer, 5 minutes de réchauffement,** Yves Bergeron
* **Programme XBX de l'aviation royale du Canada**
Puissance au centre, Jean Béliveau, Hugh Hood
Racquetball, Le, Jean Corbeil
Racquetball plus, Jean Corbeil
** **Randonnée pédestre, La,** Jean-François Pronovost
Raquette, La, William Osgood et Leslie Hurley
Règles du golf, Les, Yves Bergeron
Rivières et lacs canotables du Québec, F.Q.C.C.
* **S'améliorer au tennis,** Richard Chevalier
Secrets du baseball, Les, C. Raymond et J. Doucet
Ski nautique, Le, G. Athans Jr et A. Ward
* **Ski de randonnée, Le,** J. Corbeil, P. Anctil, D. Bégin
Soccer, Le, George Schwartz
* **Squash, Le,** Jean Corbeil
Squash, Le, Jim Rowland
Stratégie au hockey, La, John Meagher
Surhommes du sport, Les, Maurice Desjardins
Techniques du billard, Pierre Morin
* **Techniques du golf,** Luc Brien, Jacques Barrette
Techniques du hockey en U.R.S.S., André Ruel et Guy Dyotte
* **Techniques du tennis,** Ellwanger
* **Tennis, Le,** Denis Roch
Terry Fox, le marathon de l'espoir, J. Brown et G. Harvey
Tous les secrets de la chasse, Michel Chamberland
Troisième retrait, Le, C. Raymond, M. Gaudette
Vivre en forêt, Paul Provencher
Vivre en plein air, camping-caravaning, Pierre Gingras
Voie du guerrier, La, Massimo N. di Villadorata
Voile, La, Nick Kebedgy

Imprimé au Canada/Printed in Canada